LE SOURIRE DES FEMMES

Sous le pseudonyme de Nicolas Barreau se cache un auteur franco-allemand qui travaille dans le monde de l'édition. Il est l'auteur aux Éditions Héloïse d'Ormesson du *Sourire des femmes*, best-seller publié à ce jour dans trente-six pays, et de *Tu me trouveras au bout du monde*.

NICOLAS BARREAU

Le Sourire des femmes

ROMAN TRADUIT DE L'ALLEMAND PAR SABINE WYCKAERT-FETICK

ÉDITIONS HÉLOÏSE D'ORMESSON

Titre original :

DAS LÄCHELN DER FRAUEN
Paru chez Thiele Verlag

© Thiele Verlag, 2010.
© Éditions Héloïse d'Ormesson, 2014.
ISBN : 978-2-253-09981-9 – 1re publication LGF

La félicité est un manteau de couleur rouge
qui a une doublure en lambeaux.

Julian BARNES

L'année dernière, en novembre, un livre m'a sauvé la vie. Je sais que cela semble très peu vraisemblable. Certains pourraient trouver extravagant ou mélodramatique que je dise ce genre de chose. Malgré tout, c'est précisément ce qui s'est passé.

Pourtant, personne n'avait visé mon cœur ; la balle n'était pas venue se ficher miraculeusement entre les pages d'une épaisse édition reliée en cuir des poèmes de Baudelaire, comme on le voit parfois dans les films. Je ne mène pas une existence aussi palpitante.

Non, mon imbécile de cœur avait déjà été blessé. Un jour qui ressemblait à tous les autres.

Je m'en souviens encore avec précision. Les derniers clients du restaurant – un groupe d'Américains plutôt bruyants, un couple japonais discret et quelques Français qui discutaient avec passion – s'attardaient comme toujours, et les Américains s'étaient léché les lèvres avec beaucoup de « aaah » et de « oooh » en dégustant le gâteau au chocolat.

Après avoir servi le dessert, Suzette avait demandé, comme à son habitude, si j'avais encore besoin d'elle, puis elle s'était hâtée de partir, heureuse. Et Jacquie était mal luné, comme à son habitude. Cette fois, il s'était emporté au sujet des usages alimentaires des touristes et il avait levé les yeux au ciel tout en flanquant bruyamment les assiettes vides dans le lave-vaisselle.

— Ah, ces Américains ! Ils ne comprennent *rien* à la cuisine française, rien du tout ! Ils mangent toujours la décoration... Pourquoi faut-il que je travaille pour des barbares, j'aurais bien envie de tout balancer, ça me met en rogne !

Il avait détaché son tablier et m'avait lancé son «bonne nuit» d'un ton bougon avant d'enfourcher son vieux vélo et de disparaître dans la nuit froide. Jacquie est un chef remarquable et je l'aime beaucoup, même s'il avance toujours précédé de son air grincheux, comme il porterait une marmite de bouillabaisse. Il officiait déjà au Temps des cerises quand le petit restaurant aux nappes à carreaux rouge et blanc, situé rue Princesse, un peu à l'écart de l'animation du boulevard Saint-Germain, appartenait encore à mon père. Papa aimait cette vieille chanson, si belle et fugace, cet air à la fois optimiste et légèrement mélancolique autour d'amants qui se trouvent et se perdent. Et bien que les insurgés l'aient adoptée ensuite pour en faire leur hymne, symbole de renouveau et de progrès, je crois que la véritable raison pour laquelle mon père avait baptisé ainsi son restaurant était moins liée à la mémoire de la Commune de Paris qu'à des souvenirs bien personnels.

Voilà le lieu où j'ai grandi. Après l'école, quand j'étais assise dans la cuisine avec mes cahiers, dans le tintamarre des poêles et des casseroles, au milieu de mille odeurs prometteuses, je pouvais être sûre que Jacquie avait une petite gourmandise pour moi.

Jacquie (qui s'appelle en réalité Jacques Auguste Berton) est originaire de Normandie, où l'on peut voir l'horizon, où l'air a le goût de l'iode et où la mer infinie, dominée par les jeux inlassables du vent et des nuages, se dévoile entièrement à la vue. Plus d'une fois par jour, il m'assure qu'il aime regarder au loin, *au loin* ! Parfois, il se sent à l'étroit dans Paris, la ville lui apparaît trop bruyante, et il rêve de retrouver sa côte.

— Une fois qu'on a dans les narines les parfums de la Côte Fleurie, comment se sentir bien dans les gaz d'échappement parisiens, tu peux me le dire ? !

Il agite son couteau à viande et me fixe d'un air réprobateur, avant de repousser d'un geste impatient les cheveux sombres qui retombent sur son front et qui – je m'en aperçois avec émotion – sont de plus en plus parsemés de fils argentés.

Il y a des années, cet homme trapu aux grandes mains montrait à une jeune fille de quatorze ans, longues tresses blond foncé, comment préparer la crème brûlée parfaite. C'était le premier plat avec lequel j'avais impressionné mes amies.

Bien entendu, Jacquie n'est pas *n'importe quel* cuisinier. Jeune homme, il a œuvré dans la célèbre

Ferme Saint-Siméon à Honfleur, cette petite ville à la lumière si particulière – refuge des peintres et des artistes.

— Ça avait déjà un peu plus d'allure, ma chère Aurélie.

Jacquie a beau pester, je souris sans rien dire parce que je sais qu'il ne me laisserait jamais tomber. Ce fut le cas l'année dernière, en ce mois de novembre où le ciel était blanc comme du lait, où les gens marchaient d'un pas pressé dans les rues, d'épaisses écharpes en laine autour du cou. Un mois de novembre bien plus froid que tous ceux que j'avais connus à Paris. À moins que ce ne fût qu'une impression ?

Mon père était mort, quelques semaines plus tôt. Sans crier gare, son cœur avait décidé d'arrêter de battre. Jacquie l'avait trouvé un après-midi, en ouvrant le restaurant.

Papa était étendu paisiblement par terre. Entouré de légumes frais, de gigots d'agneau, de coquilles Saint-Jacques et de fines herbes qu'il avait achetés le matin au marché.

Il m'a légué son restaurant, les recettes de son fameux Menu d'amour, qui lui aurait permis de gagner l'amour de ma mère (comme elle est morte quand j'étais très petite, je ne saurai jamais s'il m'a raconté des bobards), et quelques phrases bien senties sur la vie. Il avait soixante-huit ans, et je trouvais que c'était bien trop tôt. Mais les personnes qu'on aime meurent toujours trop tôt, quel que soit leur âge.

« Les années ne signifient rien. Seul compte ce que tu en fais », avait déclaré un jour mon père, en déposant des roses sur la tombe de ma mère.

Cet automne-là, tandis que je marchais sur ses traces, un peu abattue mais déterminée, je me rendis compte que j'étais désormais seule au monde, pour ainsi dire, et cette révélation me heurta de plein fouet.

Dieu merci, j'avais Claude. Il était décorateur de théâtre et l'immense bureau placé sous la fenêtre de son petit atelier, quartier de la Bastille, croulait toujours sous les dessins et les modèles réduits en carton. Quand il avait une commande importante, il lui arrivait de disparaître pendant quelques jours. « Je ne serai pas disponible la semaine prochaine », disait-il alors, et je devais accepter qu'il ne réponde pas au téléphone et n'ouvre pas la porte, même si je me pendais à la sonnette. Peu de temps après, il réapparaissait, comme si de rien n'était. Tel un arc-en-ciel, superbe et insaisissable, il m'embrassait sur la bouche avec fougue, m'appelait « ma petite », et le soleil jouait à cache-cache avec ses boucles blond doré.

Puis il me prenait par la main, m'entraînait à sa suite et me présentait ses croquis, le regard vacillant.

Il ne fallait rien dire.

Un jour, alors que je ne connaissais Claude que depuis quelques mois, j'avais commis l'erreur d'exprimer spontanément mon point de vue. La tête penchée, j'avais réfléchi à voix haute, me demandant ce qu'on pouvait encore améliorer. Claude m'avait fixée, consterné, ses yeux d'un bleu translucide semblaient sur le point de déborder et il avait envoyé valser, d'un mouvement vif de la main, tout ce qui se trouvait sur son bureau. Des tubes de peinture, des crayons, des feuilles, des pots, des pinceaux et des petits bouts de carton avaient été projetés en l'air comme des confettis. La fragile maquette de scène du *Songe d'une nuit d'été* de Shakespeare, fruit d'un travail méticuleux, s'était brisée en mille morceaux.

Depuis, je gardais pour moi mes remarques critiques.

Claude était très impulsif, d'humeur très changeante, très tendre et très particulier. Tout en lui était «très», il ne semblait pas y avoir de juste milieu.

À l'époque, nous étions ensemble depuis deux ans environ et il ne me serait jamais venu à l'idée de remettre en question ma relation avec cet homme compliqué et extrêmement original. Après tout, quand on y regarde de plus près, chacun d'entre nous a ses complexités, ses fragilités et ses manies. Il y a des choses que nous faisons, ou des choses que nous ne ferions jamais, ou seulement dans des circonstances précises. Des choses dont les autres rient, à propos desquelles ils secouent la tête, s'étonnent.

Des choses étranges qui n'appartiennent qu'à nous.

Moi, par exemple, je collectionne les pensées. Dans ma chambre, un mur est couvert de bouts de papier de toutes les couleurs, chargés de pensées éphémères que j'ai fixées pour ne pas les perdre. Des pensées sur des conversations surprises au café, sur les rituels et leur importance, des pensées sur les baisers dans les parcs, la nuit, sur le cœur et sur les chambres d'hôtel, sur les mains, les bancs de jardin, les photos, des pensées sur les secrets et leur révélation, sur la lumière dans les arbres et sur le temps, quand il s'arrête.

Mes petites notes sont collées au papier peint clair comme des papillons tropicaux, ce sont des moments capturés qui ne servent à rien, sinon à rester près de moi. Quand j'ouvre la porte du balcon et qu'un léger courant d'air traverse la pièce, ils tremblent un peu, comme s'ils voulaient s'envoler.

— Qu'est-ce que c'est que *ça* ?! – Claude avait haussé les sourcils, incrédule, lorsqu'il avait vu ma collection de papillons pour la première fois. Il s'était arrêté devant le mur et avait lu quelques pensées, intéressé. – Tu veux écrire un livre ?

J'avais rougi et secoué la tête.

— Mon Dieu, non ! Je fais ça... – Il avait fallu que je réfléchisse un moment, sans trouver d'explication vraiment convaincante. – Tu sais, je fais ça sans raison. Comme d'autres prennent des photos.

— Tu ne serais pas un peu farfelue, ma petite ? avait demandé Claude, avant de glisser sa main sous ma jupe. Ça ne fait rien, rien du tout, moi aussi

15

je suis un peu fou... – Il avait effleuré mon cou avec ses lèvres et j'avais senti une vague de chaleur m'envahir. – ... de toi.

Quelques minutes plus tard, nous étions couchés sur le lit, mes cheveux s'emmêlaient dans un désordre magnifique, le soleil filtrait à travers les rideaux à moitié tirés et dessinait de petits cercles tremblants sur le plancher. Finalement, j'aurais pu fixer au mur un nouveau bout de papier : *L'amour l'après-midi*, mais je m'étais abstenue.

Claude avait faim. Je nous avais préparé une omelette, et il avait affirmé qu'une fille capable de faire de ce genre de plat un délice pouvait se permettre n'importe quelle manie.

À ce propos... Chaque fois que je suis malheureuse ou agitée, j'achète des fleurs. Naturellement, je les apprécie aussi quand je suis heureuse, mais les jours où tout va de travers, elles sont pour moi comme le début d'un ordre nouveau.

Je dispose quelques campanules bleues dans un vase, et je vais mieux. Je plante des fleurs sur mon vieux balcon de pierre, qui donne sur la cour, et j'éprouve aussitôt le sentiment gratifiant d'accomplir un acte chargé de sens. Dérouler le papier journal, débarrasser précautionneusement les plantes de leurs récipients en plastique et les placer dans des pots m'absorbe tout entière. Quand mes doigts plongent dans la terre humide et la creusent, tout devient très simple. J'oppose à mes soucis des cascades de roses, d'hortensias et de glycines.

16

Dans ma vie, je n'aime pas le changement. J'emprunte toujours le même itinéraire quand je vais au boulot, il y a un banc aux Tuileries que je considère secrètement comme *mon* banc.

Et quand je suis dans un escalier plongé dans le noir, je ne me retourne jamais : j'ai le sentiment indéfini qu'on me guette et qu'on chercherait à m'attraper si je jetais un coup d'œil en arrière.

Je n'en ai parlé à personne, pas même à Claude. Je crois qu'à l'époque, il ne m'a pas tout raconté non plus.

Pendant la journée, nous tracions tous les deux notre chemin. Je ne savais pas toujours avec précision ce que Claude faisait le soir, quand je travaillais au restaurant. Peut-être ne voulais-je pas le savoir non plus. Mais la nuit, quand la solitude descendait sur Paris, quand les derniers bars fermaient et que quelques noctambules marchaient dans les rues en frissonnant, j'étais allongée entre ses bras et je me sentais en sécurité.

Ce soir-là, lorsque j'éteignis les lumières et que je me mis en route, avec une boîte de macarons, je ne me doutais pas encore que mon appartement serait aussi vide que mon restaurant. C'était, comme je l'ai dit, un jour qui ressemblait à tous les autres.

Sauf que Claude était sorti de ma vie en trois petites phrases.

En ouvrant les yeux le lendemain matin, je sus que quelque chose clochait. Malheureusement, je ne fais pas partie de ces gens qui sont parfaitement réveillés d'emblée. Dans un premier temps, ce fut donc plus une sensation étrange de malaise indéterminé qu'une pensée concrète qui se fraya un chemin jusqu'à ma conscience. J'étais allongée au milieu des oreillers moelleux qui sentaient bon la lavande, les bruits de la cour me parvenaient, étouffés. Les pleurs d'un enfant, la voix apaisante d'une mère, des pas lourds qui s'éloignaient lentement, le portail qui se refermait en grinçant. Je clignai des yeux et me tournai sur le côté. Encore à moitié endormie, je tendis la main pour chercher à tâtons un corps qui n'était plus là.

— Claude ? murmurai-je.

C'est alors que la pensée avait surgi. Claude m'avait quittée !

Ce qui, la veille au soir, apparaissait encore curieusement irréel et s'était révélé, après plusieurs verres de vin, si irréel que j'aurais tout aussi bien pu le rêver, devenait irrévocable au lever de ce jour gris de novembre. Étendue là, immobile, je prêtais l'oreille, mais l'appartement restait silencieux. Aucun bruit ne venait de la cuisine. Personne n'entrechoquait les grandes tasses bleu foncé, personne ne jurait à voix basse parce que le lait avait débordé. Pas la moindre odeur de café pour chasser la fatigue. Pas le moindre bourdonnement de rasoir électrique. Pas le moindre mot.

Je tournai la tête pour regarder en direction de la porte du balcon. Les légers rideaux blancs n'étaient pas tirés et une froide matinée pesait sur les vitres. Je resserrai la couverture autour de moi et je me revis pénétrer la veille dans l'appartement sombre et vide, mes macarons à la main, sans me douter de rien.

Seule la cuisine était allumée et j'avais fixé un moment, sans comprendre, la nature morte qu'éclairait la suspension en métal noir.

Une lettre manuscrite, ouverte sur la vieille table de la cuisine, et par-dessus, le pot de confiture d'abricot avec laquelle Claude avait tartiné son croissant ce matin-là. Une coupelle de fruits. Une bougie à moitié consumée. Deux serviettes en tissu, roulées négligemment et glissées dans des ronds en argent.

Claude m'écrivait très rarement. Il avait un rapport obsessionnel à son téléphone portable, et quand ses projets changeaient, il m'appelait ou m'envoyait un message succinct sur ma boîte mail.

— Claude ? avais-je appelé.

D'une certaine façon, j'espérais encore une réponse, mais la main glacée de la peur m'étreignait déjà. J'avais baissé les bras, les macarons s'étaient échappés de la boîte pour tomber par terre au ralenti. J'avais le vertige. Je m'étais assise sur une des quatre chaises en bois et j'avais tiré la feuille à moi avec une précaution infinie, comme si cela pouvait changer le cours des choses.

Encore et encore, j'avais lu les quelques mots que Claude avait jetés sur le papier de sa grande écriture abrupte, et en fin de compte, il m'avait semblé entendre sa voix rauque, tout près de mon oreille, comme un chuchotement dans la nuit :

Aurélie,

J'ai fait la connaissance de la femme de ma vie. Je suis désolé que ça se produise maintenant, mais ça devait arriver un jour ou l'autre, de toute façon.
Prends bien soin de toi,
Claude

J'étais d'abord restée assise sans bouger. Seul mon cœur cognait comme un fou. Voilà donc ce qu'on ressentait quand le sol se dérobait sous vos pieds. Ce matin-là, Claude me disait encore au revoir en m'embrassant dans le couloir, un baiser qui m'avait semblé particulièrement tendre. J'ignorais que c'était un baiser qui me trahissait. Un mensonge ! Quel misérable de s'éclipser de cette manière !

Dans un accès de rage impuissante, j'avais réduit le papier en boule, avant de le jeter dans un coin. Quelques secondes plus tard, je m'accroupissais pour lisser la feuille en sanglotant bruyamment. J'avais bu un verre de vin, puis un autre. J'avais sorti mon téléphone de ma poche et je n'avais cessé d'appeler Claude. J'avais laissé sur sa messagerie des prières hésitantes et des insultes furieuses. Je faisais les cent pas dans l'appartement, puis je reprenais une gorgée pour me donner du courage, et je criais dans l'appareil qu'il devait me rappeler sur-le-champ. J'avais dû essayer de le joindre pas loin de vingt-cinq fois, avant d'arriver à la conclusion – avec la vague clairvoyance que l'alcool vous offre de temps à autre – que mes tentatives resteraient vaines. Claude était à des années-lumière, et mes paroles ne pouvaient plus l'atteindre.

J'avais mal à la tête. Je me levai et traversai l'appartement en chancelant, vêtue de ma chemise de nuit courte – le haut à rayures bleu et blanc du pyjama de Claude, bien trop grand pour moi, que j'avais dû enfiler pendant la nuit.

La porte de la salle de bains était ouverte. Je balayai la pièce du regard pour confirmer mon pressentiment. Le rasoir avait disparu, tout comme la brosse à dents et le parfum Aramis.

Dans la salle de séjour, il manquait la couverture en cachemire bordeaux que j'avais offerte à Claude pour son anniversaire, et son pull-over gris n'était pas jeté négligemment sur la chaise, comme d'habitude. Son imperméable n'était plus suspendu au portemanteau, à gauche de la porte d'entrée. J'ouvris brusquement l'armoire qui se dressait dans le couloir. Quelques cintres vides s'entrechoquèrent en cliquetant. J'inspirai profondément. Tout avait été vidé. Claude avait même pensé aux chaussettes dans le tiroir du bas. Il devait avoir préparé son départ avec beaucoup de soin, et je me demandais comment j'avais pu ne rien remarquer, rien du tout. Je n'avais pas remarqué qu'il projetait de partir. Je n'avais pas remarqué qu'il était tombé amoureux. Je n'avais pas remarqué qu'il embrassait déjà une autre femme, tandis qu'il m'embrassait.

Mon visage blême comme la lune, en pleurs, enca-dré de vagues blond foncé tremblantes, se reflétait dans le haut miroir doré accroché au-dessus de la commode. Mes longs cheveux étaient emmêlés comme après une nuit d'amour débridée, sauf qu'il n'y avait eu ni étreintes sauvages ni serments chu-chotés. « Tu as la chevelure d'une princesse de conte de fées, avait dit Claude. Tu es ma Titania. »

J'éclatai d'un rire amer, puis je m'approchai du miroir et examinai mon reflet avec le regard impi-toyable des désespérés. Dans mon état, avec les profonds cernes sous mes yeux, je trouvais que j'évo-quais plutôt la Folle de Chaillot. Il y avait, fichée dans le cadre du miroir, en haut à droite, la photo de Claude et moi que j'aimais tant. Elle avait vu le jour par une douce soirée d'été, alors que nous flânions sur le pont des Arts. Un Africain corpulent, qui avait étalé ses sacs sur la passerelle pour les vendre, l'avait prise. Je me rappelle qu'il avait des mains incroyable-ment grandes – entre ses doigts, mon petit appareil photo ressemblait à un jouet – et qu'il avait mis un temps fou avant d'appuyer sur le déclencheur.

Sur ce cliché, nous rions tous les deux, nos têtes l'une contre l'autre, le ciel d'un bleu intense épou-sant tendrement la silhouette de Paris.

Les photos mentent-elles ou disent-elles la vérité ? La douleur rend philosophe.

Je détachai le cliché, le posai sur le bois sombre et m'appuyai des deux mains sur la commode. « Que ça dure ! » nous avait crié le Noir d'une voix grave, tandis que nous nous éloignions.

Mes yeux se remplirent à nouveau de larmes. Elles glissèrent le long de mes joues et tombèrent comme de grosses gouttes de pluie sur Claude et moi, sur notre sourire et ces âneries de « Paris, ville des amoureux », jusqu'à ce que tout se brouille à en devenir méconnaissable.

J'ouvris le tiroir et fourrai la photo entre les écharpes et les gants. « Bon », dis-je tout haut. Puis, une fois de plus : « Bon. »

Ensuite, je refermai le tiroir en songeant combien il était facile de disparaître de la vie de quelqu'un. Pour Claude, quelques heures avaient suffi. Apparemment, la chemise rayée d'un pyjama, sans doute oubliée sous mon oreiller, était l'unique relique de notre passé commun.

Le bonheur et le malheur vont souvent de pair. Pour le formuler autrement, on pourrait dire que le bonheur prend de temps en temps de curieux détours.

Si Claude ne m'avait pas quittée, j'aurais probablement retrouvé Bernadette, ce lundi de novembre gris et froid. Je n'aurais pas erré à travers la ville comme une âme en peine, je ne me serais pas attardée au crépuscule sur le pont Louis-Philippe et je n'aurais pas fixé l'eau en m'apitoyant sur mon sort, je n'aurais pas fui ce jeune policier inquiet pour me réfugier dans la petite librairie de l'île Saint-Louis et je n'aurais jamais trouvé le livre qui devait transformer ma vie en aventure fabuleuse. Mais chaque chose en son temps.

Claude avait au moins eu la prévenance de me quitter un dimanche. Le lundi, Le Temps des cerises est fermé. C'est mon jour de repos, et je fais toujours quelque chose de chouette. Je vais à une exposition. Je passe des heures au Bon Marché, mon grand magasin préféré. Ou je vois Bernadette.

Bernadette est ma meilleure amie. Nous avions fait connaissance huit ans auparavant, dans un train, lorsque sa petite Marie s'était dirigée vers moi en vacillant sur ses jambes et avait renversé avec entrain un gobelet de cacao sur ma robe en tricot beige. Les taches ne sont jamais complètement parties, mais à la fin de ce trajet Avignon-Paris très divertissant, après avoir tenté ensemble, sans grand succès, de nettoyer la robe dans les toilettes qui tanguaient, avec de l'eau et des mouchoirs en papier, nous étions presque amies.

Bernadette est tout ce que je ne suis pas. Difficile à impressionner, d'une bonne humeur inébranlable, épatante. Elle prend les choses comme elles viennent, avec un flegme remarquable, et elle essaie d'en tirer le meilleur. En quelques phrases, elle remet à sa place et simplifie ce que je juge parfois terriblement confus.

« C'est pas vrai, Aurélie ! » dit-elle alors, et ses yeux bleu foncé me fixent, amusés. « Il faut toujours que tu te fasses de ces *idées* ! Tout ça est très *simple, voyons...* »

Bernadette habite l'île Saint-Louis. Elle enseigne à l'école primaire, mais elle pourrait tout aussi bien conseiller les personnes victimes d'un mode de pensée trop complexe.

Quand je regarde son beau visage pur, je me dis souvent qu'elle est une des rares femmes qui portent vraiment bien le chignon. Et quand elle détache ses cheveux blonds, qui lui arrivent aux épaules, les hommes se retournent sur elle.

Elle a un rire sonore et communicatif. Et elle dit toujours ce qu'elle pense.

C'était une des raisons pour lesquelles je ne voulais pas la retrouver, ce lundi matin-là. Bernadette ne supportait pas Claude, depuis le début.

— Il est cinglé, avait-elle déclaré, après que je lui eus présenté Claude autour d'un verre de vin. Je connais ce genre de types. Des égocentriques qui ne vous regardent pas droit dans les yeux.

— *Moi,* en tout cas, il me regarde dans les yeux, avais-je répliqué en éclatant de rire.

— Tu ne seras pas heureuse avec un mec comme ça, avait-elle insisté.

À l'époque, j'avais trouvé son jugement hâtif, mais tandis que je faisais tomber des cuillerées de café dans ma cafetière en verre et que je versais dessus l'eau bouillante, je devais m'avouer que Bernadette avait eu raison.

25

Je lui envoyai un texto et annulai notre déjeuner en des termes sibyllins. Puis je bus mon café, avant d'enfiler mon manteau et des gants, d'enrouler une écharpe autour de mon cou et de sortir dans le froid.

Parfois, on s'en va pour arriver quelque part. Et parfois, on s'en va juste pour marcher, et marcher, et marcher encore, jusqu'à ce que le brouillard se dissipe, que le désespoir s'atténue ou qu'on arrive au bout d'une pensée.

Ce matin-là, je n'avais aucun but, ma tête était étrangement vide et mon cœur si lourd que je sentais son poids et que je ne pouvais m'empêcher de presser ma main contre la laine brute de mon manteau. Il n'y avait pas encore beaucoup de monde dehors et les talons de mes bottes claquaient sur les pavés, tandis que je me dirigeais vers le portail en pierre reliant la cour du Commerce Saint-André au boulevard Saint-Germain. J'étais si heureuse, il y a quatre ans, lorsque j'avais trouvé mon appartement dans ce petit quartier vivant qui s'étend au-delà de la grande artère, jusqu'à la rive de la Seine ! J'apprécie ses ruelles et ses rues tortueuses, ses étals de légumes, d'huîtres et de fleurs, ses cafés et ses commerces. J'habite au troisième étage, dans un vieil immeuble sans ascenseur, aux escaliers de pierre usés. Quand je regarde par la fenêtre, j'aperçois le légendaire Procope, le restaurant qui se dresse là depuis des siècles et qu'on dit être le premier café de Paris. Les hommes de lettres et les philosophes s'y rencontraient. Voltaire, Rousseau,

Balzac, Hugo et Anatole France... De grands noms dont la compagnie spirituelle fait frissonner d'aise la plupart des clients qui y mangent sous d'immenses lustres, installés sur des banquettes en cuir rouge.

« Tu en as, de la chance », avait déclaré Bernadette, lorsque je lui avais fait visiter mon nouveau chez-moi. Pour fêter ça, ce soir-là, nous étions allées déguster au Procope un délicieux coq au vin. « Quand on songe à tous ceux qui se sont assis ici... Dire que tu n'habites qu'à quelques pas... C'est génial ! »

Elle regardait autour d'elle, enthousiaste, tandis que je piquais un morceau de viande au bout de ma fourchette et le contemplais, songeuse, en me demandant si je n'étais pas une inculte.

Je dois avouer que la pensée qu'on pouvait, à l'époque, manger au Procope les premières crèmes glacées de Paris me ravissait largement plus que de me représenter des hommes barbus couchant leurs sages pensées sur le papier, mais mon amie ne l'aurait peut-être pas compris.

L'appartement de Bernadette croule sous les livres. Ils sont rangés dans de hautes étagères qui s'étirent jusqu'au-dessus de l'encadrement des portes, ils sont posés sur toutes les tables – cuisine, salle à manger, bureau, salon et chambre. Même dans la salle de bains, j'ai découvert, à ma grande surprise, quelques bouquins placés sur une toute petite table, près des toilettes.

« Je ne m'imagine pas une vie sans livres », avait affirmé un jour Bernadette, et j'avais hoché la tête, un peu honteuse.

Je lis aussi, en principe. Mais la plupart du temps, quelque chose m'en empêche. Et quand j'ai le choix, je préfère faire une longue promenade ou préparer une tarte aux mirabelles, et c'est le merveilleux parfum de ce mélange de farine, de beurre, de vanille, d'œufs, de fruits et de crème qui donne des ailes à mon imagination.

Cela tient sans doute à cette plaque en métal ornée d'une cuillère en bois et de deux roses, toujours accrochée dans la cuisine du Temps des cerises.

Alors que j'apprenais à lire à l'école primaire et que les lettres s'assemblaient l'une après l'autre pour former un grand tout qui ait un sens, je m'étais postée devant, dans mon uniforme bleu foncé, et j'avais déchiffré les mots qui s'y trouvaient :

« Le but d'un livre de cuisine ne peut être que d'augmenter le bonheur de l'humanité. »

La citation était d'un certain Joseph Conrad, et j'avais longtemps considéré qu'il devait s'agir d'un célèbre cuisinier. Je fus d'autant plus étonnée lorsque je tombai plus tard sur son roman *Au cœur des ténèbres*, qu'une complicité ancienne m'avait fait acheter mais que je n'avais toujours pas lu.

Quoi qu'il en soit, le titre était aussi sinistre que mon humeur ce jour-là. Je songeai, pleine d'amertume, que c'était peut-être le moment approprié pour ressortir ce livre. Mais je ne lis pas quand je suis malheureuse : je plante des fleurs.

C'est en tout cas ce que je pensais pour l'instant, sans savoir que la nuit même, je tournerais avec une hâte avide les pages d'un roman qui s'était jeté entre mes mains, pour ainsi dire. Hasard ? Aujourd'hui encore, je ne le crois pas.

Je saluai Philippe, un serveur du Procope qui m'adressait un signe amical de l'autre côté de la vitre, longeai sans y prêter attention la devanture étincelante d'Harem, une petite bijouterie, et tournai dans le boulevard Saint-Germain, Il avait commencé à pleuvoir, les voitures passaient près de moi en faisant gicler l'eau et je resserrai mon écharpe tout en avançant le long du boulevard, imperturbable.

Pourquoi le mois de novembre était-il propice aux événements déprimants ? C'était pour moi la pire période de l'année pour être déprimée : le choix des fleurs qu'on pouvait planter était limité.

Je donnai un coup de pied dans une canette de Coca vide qui traversa le trottoir avec un bruit de ferraille, pour s'arrêter dans le caniveau.

Un caillou bien rond qui coule. L'instant d'après, il est coulé... La situation me faisait penser à cet air incroyablement triste d'Anne Sylvestre, *La Chanson de Toute Seule*. Tout le monde m'avait quittée. Papa était mort, Claude avait disparu, et j'étais seule comme jamais. C'est alors que mon portable sonna.

— Allô ? dis-je, en manquant avaler de travers.

Je sentis une décharge d'adrénaline me traverser le corps à l'idée que ce pouvait être Claude.

— Qu'est-ce qui se passe, ma chérie ?

Comme toujours, Bernadette allait droit au but.

Un chauffeur de taxi freina près de moi dans un crissement de pneus, et klaxonna comme un enragé parce qu'un cycliste n'avait pas respecté la priorité. L'atmosphère était apocalyptique.

— Qu'est-ce que c'est que *ça* ? s'écria Bernadette, avant que je ne puisse dire quelque chose. Tout va bien ? Où es-tu ?

— Sur le boulevard Saint-Germain, répondis-je sur un ton plaintif.

Je m'abritai sous la marquise d'un magasin. Dans la vitrine, des parapluies de toutes les couleurs avec des pommeaux à tête de canard. La pluie dégoulinait de mes cheveux et je me noyais sous un tsunami de chagrin.

— Sur le boulevard Saint-Germain ? Pour l'amour du ciel, que fais-tu sur le boulevard Saint-Germain ? Tu m'as écrit que tu avais un empêchement !

— Claude est parti, expliquai-je en reniflant.

— Que veux-tu dire par « parti » ? – La voix de Bernadette prit aussitôt des inflexions moins tolérantes, comme chaque fois qu'il était question de Claude. – Cet idiot se planque encore ? Il ne donne pas de nouvelles ?

J'avais malheureusement parlé à Bernadette de la propension de Claude à s'évader du réel, et elle n'avait pas trouvé ça drôle du tout.

— Parti pour toujours, dis-je en éclatant en sanglots. Il m'a quittée. Je suis si malheureuse !

— C'est pas vrai, fit Bernadette, la voix douce comme une étreinte. C'est pas vrai ! Ma pauvre, pauvre Aurélie. Qu'est-ce qui s'est passé ?

— Il... a... rencontré... une..., continuai-je en sanglotant. Hier, quand je suis rentrée à la maison, toutes ses affaires avaient disparu, et il y avait un mot... un mot...

— Il ne te l'a même pas annoncé *en personne* ? Quel connard ! m'interrompit Bernadette, furieuse, avant de reprendre son souffle. Je t'ai toujours dit que Claude était un connard. Toujours ! Un mot ! C'est vraiment... c'est vraiment un comble !

— Bernadette, s'il te plaît...

— Quoi ? Tu continues à le défendre ?

Je secouai la tête en silence.

— Maintenant, écoute, ma petite chérie, déclara Bernadette, et je plissai les yeux. – Quand Bernadette commençait ses phrases par « Maintenant, écoute », elle s'apprêtait généralement à exprimer des points de vue fondamentaux qui se révélaient souvent justes, mais pas toujours supportables. – Oublie ce crétin, et vite ! Bien sûr, c'est difficile, là...

— Très difficile.

— Bon, *très* difficile. Mais Claude était impossible, et tu le sais, au plus profond de toi. Maintenant, essaie de te calmer. Tout ira bien, je te promets que tu feras bientôt la connaissance d'un homme adorable qui saura apprécier une femme aussi merveilleuse que toi.

— Ah, Bernadette, soupirai-je.

Elle était bien bonne... Bernadette était mariée à un homme adorable qui supportait avec une patience inouïe son rapport fanatique à la vérité.

— Écoute, reprit-elle. Tu vas prendre un taxi et rentrer chez toi. Dès que j'ai tout réglé ici, je te rejoins. Ce n'est pas si grave... Pas de raison d'en faire un drame !

Naturellement, c'était gentil de la part de Bernadette de venir chez moi pour me consoler. Mais j'avais le désagréable pressentiment que sa notion du réconfort serait différente de la mienne. Je n'étais pas sûre d'avoir envie de passer des heures à l'écouter m'expliquer pourquoi Claude était le type le plus nul de tous les temps. Après tout, nous étions encore ensemble hier, et j'aurais apprécié un peu plus de compassion.

C'est alors que cette bonne Bernadette dépassa les bornes.

— Je vais te dire quelque chose, Aurélie, avança-t-elle de sa voix d'institutrice qui ne tolérait aucune contradiction. Je suis heureuse, très heureuse même, que Claude t'ait quittée. Un vrai coup de chance ! Tu n'aurais pas réussi à franchir le pas. Je sais que ce n'est pas agréable à entendre pour l'instant, mais je te le dis quand même : ce crétin est enfin sorti de ta vie et il faut fêter ça.

— Je me réjouis pour toi, répliquai-je sur un ton plus coupant que je ne l'aurais voulu, et la prise de conscience insidieuse que mon amie n'avait pas tout à fait tort me mit brusquement en rage. Tu sais quoi,

Bernadette ? Commence donc à faire la fête de ton côté, et si jamais ton euphorie l'autorise, permets-moi d'être triste quelques jours de plus, d'accord ? Laisse-moi tranquille !

Je raccrochai, inspirai profondément et coupai mon portable.

Il ne manquait plus que ça, je venais de m'embrouiller avec Bernadette ! Devant la marquise, la pluie tombait à verse sur la chaussée, et je me blottis dans un coin en frissonnant. Je me demandais s'il ne valait pas mieux retourner à la maison en voiture, mais la perspective de rentrer dans un appartement vide me faisait peur. Je n'avais même pas un petit chat pour m'attendre et se frotter contre moi en ronronnant. «Regarde, Claude, tu ne les trouves pas ravissants ?» m'étais-je exclamée lorsque Mme Clément, la voisine, nous avait montré les chatons tigrés qui trébuchaient les uns contre les autres, patauds, dans leur petite corbeille.

Mais Claude était allergique aux poils de chat, et de toute façon, il n'aimait pas les animaux.

«Je n'aime pas les animaux. Sauf les poissons», avait-il déclaré, alors que nous nous connaissions depuis quelques semaines seulement. Au fond, j'aurais dû le savoir. Les chances d'être heureuse avec un homme qui n'aimait que les poissons étaient assez minces.

Je poussai avec détermination la porte de la boutique et achetai un parapluie bleu ciel avec des pois blancs et un pommeau de la couleur d'un bonbon au caramel.

Ce fut la plus longue promenade de toute ma vie. Au bout d'un moment, les boutiques de mode et les restaurants, de part et d'autre du boulevard, cédèrent la place aux magasins de meubles et aux enseignes spécialisées dans les équipements sanitaires, puis ces derniers disparurent à leur tour et je poursuivis mon chemin solitaire à travers la pluie, le long des façades en pierre des grands immeubles couleur sable, qui offraient peu de distraction au regard et accueillaient mes pensées et mes sentiments désordonnés avec un calme olympien.

Au bout du boulevard, qui débouche sur le quai d'Orsay, je tournai à droite et traversai la Seine en direction de la place de la Concorde. L'obélisque se dressait au milieu comme un index immense et j'eus l'impression que, dans sa majesté égyptienne, il n'avait rien à voir avec toutes les caisses en tôle qui tournaient fébrilement autour de lui.

Quand on est malheureux, soit on ne voit plus rien et le monde sombre dans l'insignifiance, soit on voit les choses avec une clarté extrême et *tout* prend soudain un sens. Même des choses très banales, comme un feu qui passe du rouge au vert, peuvent vous décider à prendre à droite, ou à gauche.

C'est ainsi que, quelques minutes plus tard, je traversais les Tuileries, silhouette triste sous un parapluie à pois qui se déplaçait lentement et avec de légers mouvements ascendants et descendants dans le parc désert, quittait ce dernier pour rejoindre le Louvre, flottait le long de la rive droite de la Seine, passait devant l'île de la Cité, devant Notre-Dame, devant les lampadaires qui s'allumaient peu à peu, avant de s'arrêter sur le pont Louis-Philippe, qui mène à l'île Saint-Louis.

Le bleu foncé du ciel se déposait sur Paris, tel du velours. Il n'était pas loin de dix-huit heures, la pluie cessait petit à petit et je m'appuyai, lasse, au parapet du vieux pont. Je fixais la Seine, pensive. Le reflet tremblant des réverbères scintillait sur l'eau sombre – fragile et enchanteur, à l'image de tout ce qui est beau.

J'avais rejoint ce lieu paisible au bout de huit heures, de milliers de pas et de mille pensées. Il m'avait fallu tout ce temps pour comprendre que la tristesse sans bornes qui s'était abattue sur mon cœur comme du plomb n'était pas due uniquement au départ de Claude. J'avais trente-deux ans et ce n'était pas la première fois que je connaissais une rupture. J'étais partie, on m'avait quittée, j'avais connu des hommes largement plus gentils que Claude, le cinglé.

En réalité, j'avais la sensation que tout s'évanouissait, se transformait, que les personnes qui avaient tenu ma main disparaissaient soudain pour toujours, que je perdais pied et qu'il n'y avait plus, entre cet univers immense et moi, qu'un parapluie bleu ciel aux pois blancs.

Ce constat ne me rendait pas les choses plus faciles. J'étais debout sur un pont, seule, les cheveux me balayaient le visage et j'étreignais mon parapluie à tête de canard comme s'il pouvait s'envoler.

— À l'aide ! chuchotai-je, et je chancelai un peu.

— Mademoiselle ? Attendez, ne faites pas ça !

J'entendis des pas pressés derrière moi et pris peur.

Le parapluie me glissa de la main, virevolta, rebondit sur le parapet et tomba en exécutant une petite danse tourbillonnante, avant d'atterrir à plat ventre sur l'eau avec un *floc* à peine audible.

Je me retournai, déroutée, et me trouvai nez à nez avec un jeune policier aux yeux sombres qui me dévisageait, l'air soucieux.

— Tout va bien ? s'enquit-il avec nervosité.

Apparemment, il me prenait pour une suicidaire.

— Oui, bien sûr. Tout va pour le mieux.

Je me forçai à sourire. Il haussa les sourcils, comme s'il n'en croyait pas un mot.

— Je n'en crois pas un mot. Ça fait un moment que je vous observe, et aucune femme pour qui tout va pour le mieux ne se tient comme ça.

Je me tus, consternée, et observai le parapluie moucheté de blanc qui s'éloignait tranquillement en se balançant sur la Seine. Le policier suivit mon regard.

— C'est toujours la même chose, déclara-t-il. Je connais bien ces ponts. L'autre jour, plus bas, on a encore sorti une jeune fille de l'eau glacée. Juste à temps. Quand quelqu'un traîne sur un pont, on peut être sûr qu'il est fou amoureux ou sur le point de sauter. Je n'ai jamais compris pourquoi les ponts attiraient autant les amoureux et les suicidaires.

Sa digression achevée, il me fixa, méfiant.

— Vous avez l'air sens dessus dessous. Vous ne vouliez pas faire de bêtises, hein ? Une jolie femme comme vous. Sur ce pont.

— Mais non ! lui assurai-je. Les gens normaux s'attardent sur les ponts, eux aussi, simplement parce que c'est beau de regarder le fleuve.

— Oui, mais vous avez des yeux très tristes. – Il ne lâchait pas prise. – On aurait bien dit que vous vous apprêtiez à vous laisser tomber.

— J'avais un peu le vertige, c'est tout, me hâtai-je d'ajouter en posant sans le vouloir ma main sur mon ventre.

— Oh, pardon ! Excusez-moi... madame ! – Il écarta les bras, l'air embarrassé. – Je ne pouvais pas me douter... Vous êtes... enceinte ? Vous devriez faire plus attention à vous, si je peux me permettre. Je vous raccompagne chez vous ?

Je secouai la tête. J'avais presque envie de rire. Non, je n'étais vraiment pas enceinte.

Il pencha la tête sur le côté et sourit galamment.

— Vous êtes sûre ? Les forces de l'ordre sont là pour votre protection. Je ne voudrais pas que vous basculiez dans le vide. – Il jeta un coup d'œil à mon ventre plat, plein de sollicitude. – Alors, c'est pour quand ?

— Écoutez, monsieur, répliquai-je d'une voix ferme. Je ne suis pas enceinte et je ne le serai sûrement pas dans un futur proche. J'avais juste le tournis.

Pas étonnant : je n'avais rien avalé de la journée, à part un café.

Il fit un pas en arrière, visiblement gêné.

— Mille pardons, je ne voulais pas me montrer indiscret.

— Pas de problème, soupirai-je, impatiente qu'il s'en aille.

Mais l'homme en uniforme ne bougeait pas d'un pouce. C'était le policier parisien type : beau, grand, mince et dragueur. Celui-ci s'était manifestement donné pour tâche de devenir mon ange gardien.

— Bon, alors...

Je m'adossai au parapet et tentai de prendre congé avec un sourire. Un très vieil homme en imperméable passa près de nous et nous regarda avec intérêt.

— Eh bien, si je ne peux plus rien faire pour vous... fit le policier en portant deux doigts à sa casquette.

— Non, vraiment pas.

— Dans ce cas, prenez bien soin de vous.

— Promis.

Je pressai les lèvres et hochai plusieurs fois la tête. C'était le deuxième homme en vingt-quatre heures qui me demandait de prendre bien soin de moi. Je levai brièvement la main, avant de m'accouder au parapet. J'étudiai la cathédrale Notre-Dame qui s'élevait dans l'obscurité, au bout de l'île de la Cité, tel un vaisseau médiéval.

J'entendis un raclement de gorge derrière moi et je raidis le dos, avant de me retourner lentement.

— Oui ?

— Qu'est-ce que c'est, alors ? demanda-t-il en souriant comme George Clooney dans la publicité Nespresso. Mademoiselle ou madame ?

Oh. Mon. Dieu. Je voulais être malheureuse en paix, et un policier me draguait.

— Mademoiselle, quoi d'autre, rétorquai-je, et je décidai de prendre la fuite.

Les cloches de Notre-Dame retentissaient ; je longeai le pont d'un pas rapide et entrai dans l'île Saint-Louis.

Certains affirment que cet îlot de la Seine, situé en amont de l'île de la Cité, qu'on ne peut rejoindre qu'en empruntant des ponts, est le cœur de Paris. Mais ce vieux cœur bat très, très lentement. Chaque fois que j'y venais, j'étais surprise du calme qui régnait dans ce quartier.

En tournant dans la rue Saint-Louis-en-l'Île, la voie principale où s'alignent paisiblement petits magasins et restaurants, je vis du coin de l'œil qu'une silhouette élancée en uniforme me suivait à distance respectueuse. L'ange gardien ne lâchait pas le morceau. Que croyait-il, au juste ? Que j'allais tenter ma chance au prochain pont ?

Je forçai l'allure – je m'étais presque mise à courir –, puis j'ouvris la porte de la première boutique encore éclairée. C'était une librairie, et lorsque j'y pénétrai en trébuchant, il ne me serait jamais venu à l'idée que ces quelques pas allaient changer ma vie pour toujours.

Sur l'instant, je pensai que le magasin était désert. En réalité, il était tellement encombré de livres, d'étagères et de petites tables que je n'avais pas remarqué le propriétaire qui se tenait à l'autre bout de la pièce, tête penchée, derrière un comptoir démodé où d'autres ouvrages s'entassaient en équilibre instable. Il était plongé dans un livre illustré dont il tournait les pages avec précaution. Il avait l'air si tranquille, avec ses cheveux argentés ondulés et ses lunettes de lecture en demi-lune, que je n'osai pas le déranger. Dans ce cocon de chaleur et de lumière jaune, les battements de mon cœur s'apaisèrent. Je risquai un regard à l'extérieur. Devant la vitrine, qui portait les mots Librairie Capricorne Pascal Fermier en lettres d'or pâlies, je vis mon ange gardien qui contemplait la devanture.

Je ne pus m'empêcher de soupirer. Le vieux libraire leva les yeux, surpris, et remonta ses lunettes sur son front.

— Ah... bonsoir, mademoiselle. Je ne vous ai même pas entendue entrer, déclara-t-il avec amabilité.

Son visage bienveillant, yeux intelligents et sourire subtil, me rappelait une photo de Marc Chagall dans son atelier. Si ce n'est que cet homme ne tenait aucun pinceau.

— Bonsoir, monsieur. Excusez-moi, je ne voulais pas vous effrayer.

— Mais non, assura-t-il en levant les mains. Je pensais juste que je venais de fermer. – Il regarda la porte (un trousseau de clés était fiché dans la serrure) et secoua la tête. – Je commence à perdre la mémoire.

— Vous êtes fermé, alors ? demandai-je, et je fis un pas en avant, dans l'espoir que mon encombrant ange gardien quitte enfin la vitrine.

— Faites tranquillement votre tour. Prenez votre temps. Cherchez-vous un titre en particulier ?

Je cherche un homme qui m'aime vraiment, répondis-je en silence. *Je fuis un policier qui pense que je veux sauter d'un pont, et je fais semblant de vouloir acheter un livre. J'ai trente-deux ans et j'ai perdu mon parapluie. J'aimerais qu'il m'arrive enfin quelque chose de bien.*

Mon estomac se mit à gargouiller.

— Non... non, rien de précis, dis-je avec précipitation. Quelque chose... de chouette.

Je rougis. À présent, il me prenait probablement pour une demeurée dont les facultés d'expression se limitaient à des termes creux comme « chouette ». J'espérais que mes mots avaient au moins couvert les bruits de mon ventre.

— Un petit gâteau ? demanda M. Chagall.

Il me mit sous le nez une coupe en argent garnie de biscuits au beurre. Après une courte hésitation, je tendis la main, reconnaissante. La pâtisserie sucrée me réconforta et fit aussitôt taire mon estomac.

— Vous savez, je n'ai pas vraiment mangé aujourd'hui, expliquai-je en mastiquant.

Malheureusement, je fais partie de ces gens qui se sentent toujours obligés de tout expliquer.

— Ça arrive, déclara M. Chagall, sans commenter ma gêne. Vous trouverez peut-être ce que vous cherchez là-bas, ajouta-t-il en indiquant une table recouverte de romans.

Ce fut bel et bien le cas. Un quart d'heure plus tard, je quittais la Librairie Capricorne avec un sac en papier orange orné d'une licorne blanche.

— Un bon choix, avait affirmé M. Chagall en emballant le livre, qui avait été écrit par un jeune Anglais et portait un joli titre : *Le Sourire des femmes*. Ça va vous plaire.

J'avais fouillé mes poches pour trouver de l'argent, cramoisie. J'avais eu du mal à cacher ma surprise, que M. Chagall prit peut-être pour une joie excessive à l'idée d'entamer ma lecture, alors qu'il fermait la porte à clé derrière moi.

Je respirai à fond et parcourus la rue vide du regard. Mon nouvel ami avait abandonné sa filature. Apparemment, la probabilité que quelqu'un qui achetait un livre se jette ensuite d'un pont était statistiquement très faible.

Une excitation grandissante me fit accélérer le pas et monter dans un taxi, le cœur battant.

Dans le livre joliment emballé que je pressais contre ma poitrine comme un trésor, il y avait, dès la première page, une phrase qui me troublait, attisait ma curiosité, m'électrisait, même :

L'histoire que je voudrais raconter débute avec un sourire, elle s'achève dans un petit restaurant qui porte un nom chargé de promesses, Le Temps des cerises, à Saint-Germain-des-Prés, là où bat le cœur de Paris.

Ce fut la seconde nuit où je trouvai à peine le sommeil. Cette fois, ce n'était pas un amant déloyal qui troublait ma tranquillité, mais un livre – étonnant, pour une femme qui était tout sauf une lectrice passionnée ! Un livre qui m'envoûta dès les premiers mots. Un livre parfois triste, puis à nouveau si drôle que je ne pouvais m'empêcher d'éclater de rire. Un livre à la fois merveilleux et mystérieux, car même quand on lit beaucoup de romans, on tombe rarement sur une histoire d'amour dans laquelle votre petit restaurant joue un rôle central, dans laquelle l'héroïne est décrite de telle façon que vous avez l'impression de vous voir dans le miroir – un jour où vous êtes très, très heureuse et où tout vous réussit !

En rentrant à la maison, j'avais suspendu mes affaires humides au-dessus du radiateur et enfilé un pyjama douillet. J'avais rempli une grande théière, je m'étais préparé un sandwich et j'avais écouté mon répondeur. Bernadette avait tenté de me joindre à trois reprises, et s'excusait d'avoir piétiné mes sentiments avec « la sensibilité d'un éléphant ».

Ses messages me firent sourire : « Écoute, Aurélie, si tu veux être triste à cause de cet imbécile, alors sois triste, mais ne sois plus fâchée contre moi, s'il te plaît, et fais-moi signe, d'accord ? Je pense fort à toi ! »

Ma rancune s'était envolée depuis longtemps. Je posai le plateau avec le thé, le sandwich et ma tasse préférée sur la table d'appoint en rotin, près du canapé jaune safran, réfléchis un moment et envoyai à mon amie un texto qui disait en substance ceci :

« Chère Bernadette, tu veux passer chez moi mercredi matin ? Je me réjouis de te voir et vais maintenant me coucher. Bises ! Aurélie. »

Je mentais en parlant de dormir, sinon, tout était vrai. J'allai chercher le sac en papier de la Librairie Capricorne que j'avais laissé sur la commode, dans le couloir, et le plaçai avec précaution à côté du plateau. J'éprouvais un sentiment étrange. Comme si, à cet instant déjà, je sentais que ce serait désormais *mon* sac magique.

Je réfrénai encore un peu ma curiosité. Je bus d'abord mon thé à petites gorgées, puis je mangeai le sandwich, avant de me relever et d'aller prendre la couverture en laine dans ma chambre.

On aurait dit que je repoussais le moment où tout débuterait véritablement.

Ensuite, je déballai le livre et l'ouvris enfin.

Affirmer que les heures qui suivirent passèrent en un éclair serait une demi-vérité. En réalité, l'histoire m'absorbait tellement que j'aurais été incapable de dire si une, trois ou six heures s'étaient écoulées. Cette nuit-là, je perdis toute notion du temps

– j'entrai dans le roman comme les héros d'*Orphée*, ce film en noir et blanc de Jean Cocteau que j'avais vu enfant avec mon père. Sauf que je n'avais pas traversé un miroir dont je venais d'effleurer la surface de la main, mais la couverture d'un livre.

Le temps s'étirait et se contractait, avant de disparaître.

J'étais aux côtés de ce jeune Anglais que la passion pour le ski de son collègue francophile (fracture multiple de la jambe à Verbier) fait atterrir à Paris. Il travaille pour le constructeur automobile Austin et doit promouvoir la Mini Cooper en France à la place du directeur marketing, en arrêt de travail pour plusieurs mois. Le hic, c'est que ses connaissances du français sont aussi rudimentaires que son expérience des Français, et qu'il espère, ignorant tout de l'esprit franco-français, que tout le monde à Paris (les employés de la filiale parisienne, en tout cas) va maîtriser la langue de l'Empire et coopérer avec lui.

Il est horrifié par la conduite téméraire des automobilistes parisiens qui s'imposent à six dans des rues à deux voies, ne s'intéressent pas le moins du monde à ce qui se passe derrière eux et réduisent la règle d'or des auto-écoles, «Rétroviseur intérieur, rétroviseur extérieur, démarrage», à sa dernière injonction. Mais il est aussi atterré de constater que le Français, en principe, ne fait pas réparer bosses et éraflures, et que des slogans publicitaires comme *Mini – it's like falling in love* le laissent de marbre, parce qu'il préfère faire l'amour avec une femme qu'avec une voiture.

Il invite de jolies Françaises au restaurant et il manque avoir une attaque parce que ces dernières, après s'être exclamées : « Ah, j'ai faim ! », commandent le menu complet (le plus cher) puis picorent leur salade au chèvre, plantent quatre fois leur fourchette dans le bœuf bourguignon et plongent deux fois leur cuillère dans la crème brûlée, avant de lâcher gracieusement leurs couverts dans les restes.

Aucun Français n'a jamais entendu parler de faire la queue, et personne n'évoque le temps qu'il fait. Pourquoi donc ? Il y a des sujets plus intéressants. Et presque pas de tabous. On veut savoir pourquoi, à trente-cinq ans, il n'a toujours pas d'enfants (« Vraiment *aucun* ? Même pas un ? *Zéro* ? »), comment il juge la politique américaine en Afghanistan, le travail des enfants en Inde, si les œuvres en chanvre et polystyrène expansé de Vladimir Wroscht, exposées à La Borg, ne sont pas « très hexagonales » (il ne connaît ni l'artiste, ni la galerie, ni le sens du mot « hexagonal »), s'il est satisfait de sa vie sexuelle et ce qu'il pense des femmes qui se teignent les poils pubiens.

En d'autres termes : notre héros subit un choc après l'autre.

C'est un gentleman anglais pas très loquace. Et brusquement, il doit discuter de tout, dans tous les endroits possibles et imaginables. Dans l'entreprise, au café, dans l'ascenseur (quatre étages suffisent pour un échange de fond sur les voitures incendiées en banlieue), dans les toilettes pour hommes (la mondialisation est-elle une bonne chose ?) et naturellement dans les taxis, car les chauffeurs français, à la différence de leurs collègues londoniens, ont un avis sur tout, et leur client n'est pas autorisé à s'abandonner en silence à ses pensées.

Il doit *dire* quelque chose !

En fin de compte, l'Anglais prend les choses avec un humour très anglais. Et lorsque, après quelques errements et autres imbroglios, il tombe éperdument amoureux de Sophie, une jeune femme charmante et quelque peu capricieuse, l'understatement britannique rencontre la complexité française et provoque, dans un premier temps, quantité de malentendus et de difficultés. Finalement, tout s'achève sur une merveilleuse entente cordiale. Non pas dans une Mini, mais dans un petit restaurant français baptisé Le Temps des cerises. Avec des nappes à carreaux rouge et blanc. Rue Princesse.

Mon restaurant ! Ça ne faisait aucun doute.

Je refermai le livre. Il était six heures du matin et je croyais à nouveau l'amour possible. J'avais lu trois cent vingt pages et je n'avais pas sommeil. Ce roman s'apparentait à une excursion extrêmement revigorante dans un autre monde, un monde qui me semblait curieusement familier.

Si un Anglais était capable de décrire avec autant de précision un restaurant qui, contrairement à La Coupole ou à la Brasserie Lipp, ne se trouvait pas dans tous les guides touristiques, c'est qu'il avait dû s'y rendre un jour ou l'autre.

Et quand l'héroïne de son roman vous ressemblait comme deux gouttes d'eau – jusqu'à cette robe en soie vert foncé, accrochée dans votre armoire, et ce collier de perles orné d'une grande gemme ovale, reçu pour votre dix-huitième anniversaire –, soit c'était un hasard énorme, soit cet homme avait vu cette femme un jour ou l'autre.

Mais quand *cette femme*, un des jours les plus malheureux de sa vie, choisissait dans une librairie *ce livre* parmi des centaines d'autres, ce n'était plus un hasard. C'était le destin qui s'adressait à moi. Mais que voulait-il me dire ?

Je retournai le roman, songeuse, et contemplai la photo d'un homme à l'allure sympathique, aux cheveux blonds coupés court et aux yeux bleus. Assis sur un banc dans un quelconque parc anglais, les bras écartés avec décontraction de part et d'autre du dossier, il me souriait.

Je fermai un moment les yeux et me demandai si j'avais déjà vu ce visage, ce sourire juvénile et désarmant. Mais j'eus beau fouiller les tiroirs de mon cerveau, je ne les trouvai pas.

Le nom de l'auteur ne m'évoquait rien non plus : Robert Miller.

Je ne connaissais aucun Robert Miller. En fait, je ne connaissais aucun Anglais – exception faite des touristes qui s'égaraient dans mon restaurant, et de ce correspondant de mes années collège, qui venait du pays de Galles et me faisait penser, avec ses cheveux roux et toutes ses taches de rousseur, à l'ami de Flipper le dauphin.

Je lus attentivement la courte biographie :

Avant d'écrire son premier roman, Le Sourire des femmes, *Robert Miller a travaillé comme ingénieur pour un grand constructeur automobile anglais. Il aime les voitures de collection, Paris et la cuisine française. Il vit dans un cottage près de Londres avec son yorkshire-terrier, Rocky.*

— Qui es-tu, Robert Miller ? dis-je à mi-voix, et mon regard revint caresser l'homme sur le banc. Qui es-tu ? Et comment me connais-tu ?

Soudain, une idée se mit à tourner dans ma tête, une idée qui me plaisait de plus en plus.

Je voulais faire la connaissance de cet auteur qui m'avait redonné goût à la vie aux heures les plus sombres et semblait m'être lié de manière énigmatique. J'allais lui écrire. Je le remercierais. Puis je l'inviterais à passer une soirée de rêve dans mon restaurant et je découvrirais ce que cachait son livre.

Je me redressai et pointai l'index sur la poitrine de Robert Miller qui, en ce moment même, était peut-être en train de promener son petit chien, quelque part dans les Cotswolds.

— À bientôt, Mr Miller !

Il me souriait toujours. Curieusement, je ne doutais pas un seul instant que je finirais par trouver mon nouvel (et unique !) écrivain préféré.

Comment aurais-je pu savoir qu'il fuyait le public comme la peste ?

— Comment ça, cet auteur fuit le public comme la peste ?

M. Monsignac avait bondi. Son ventre proéminent tremblait d'excitation, et sous les coups de tonnerre de sa voix, les membres du comité de lecture se tassèrent sur leur siège.

— Nous avons vendu près de 50 000 exemplaires de son livre stupide. Ce Miller est sur le point d'accéder à la liste des best-sellers. *Le Figaro* veut lui consacrer un long article. – Monsignac s'apaisa un instant, leva les yeux au ciel avec exaltation et dessina en l'air, de la main droite, une énorme manchette. – Titre : *Un Anglais à Paris.* Le succès-surprise des Éditions Opale. – Puis il fit retomber sa main sur la table si brusquement que Mme Petit, chargée de rédiger le compte rendu, laissa tomber son crayon, effrayée. – Et vous, vous m'expliquez le plus sérieusement du monde que cet homme n'est pas fichu de ramener son foutu cul d'Anglais à Paris le temps d'une journée ? Ce n'est pas vrai, André, dites-moi que ce n'est pas vrai !

Je voyais son visage rougi, ses yeux clairs qui lançaient des éclairs. Aucun doute, Jean-Paul Monsignac, directeur éditorial et propriétaire des Éditions Opale, serait victime d'une crise cardiaque dans les secondes à venir.

Et c'était ma faute.

— Monsieur Monsignac, calmez-vous, s'il vous plaît, le suppliai-je en me pétrissant nerveusement les mains. Je fais tout mon possible, croyez-moi. Mais M. Miller est anglais, alors... *My home is my castle* – vous voyez ce que je veux dire. Il vit retiré dans son cottage, il passe son temps à bricoler ses voitures... Il n'est pas du tout habitué à traiter avec la presse, et il n'aime pas se retrouver au centre de l'attention. C'est... c'est justement ce qui le rend si sympathique...

Je remarquai que j'étais en train de broder autour de ma propre vie. Pourquoi ne m'étais-je pas contenté de dire que Robert Miller était parti faire le tour du monde pendant un an et qu'il n'avait pas emporté son iPhone ?

— Et patati ! et patata ! Trêve de bavardages, André ! Je compte sur vous pour que l'Anglais monte dans un train, traverse la Manche, vienne répondre à quelques questions et signer quelques livres. Il nous doit bien ça. Après tout, cet homme était... – Il prit le livre, jeta un coup d'œil au dos et le laissa retomber devant lui. – ... mécanicien, non, *ingénieur* même, avant d'écrire son roman. Il a dû entrer un jour ou l'autre en contact avec la race humaine. À moins qu'il ne soit autiste ?

Gabrielle Mercier, une des deux lectrices, gloussa derrière sa main. J'aurais pu étrangler cette idiote.

— Bien sûr que ce n'est pas un autiste, me hâtai-je de répondre. Il est juste, eh bien, un peu sauvage.

— Comme *tout* homme intelligent. « Depuis que je connais les hommes, j'aime les animaux. » Qui a dit ça ? Alors ? Quelqu'un le sait ?

M. Monsignac nous regarda tour à tour, plein d'espoir. Même en cet instant, il ne pouvait s'empêcher d'étaler sa culture. Il avait fait la prestigieuse École normale supérieure, et pas une journée ne passait sans qu'il ne nous cite un philosophe ou un écrivain marquant.

Bizarrement, sa mémoire fonctionnait de manière très sélective. S'il retenait sans peine les noms des gens de lettres, des grands penseurs et des lauréats du prix Goncourt, s'il nous agaçait tous en nous abreuvant de dictons et de citations, il avait bien du mal avec la littérature grand public. Soit il oubliait aussitôt le nom d'un auteur et se contentait de l'appeler « cet homme », ou « cet Anglais », ou « cet écrivain du *Da Vinci Code* », soit il lui faisait subir des déformations absurdes et le rebaptisait Lars Stiegsson (Stieg Larsson), Nicolai Bark (Nicholas Sparks) ou Steffen Lark (Stephen Clarke).

« Je ne suis pas un grand fan des auteurs américains, mais pourquoi n'avons-nous aucun Steffen Lark au programme, au juste ? » avait-il aboyé il y a deux ans. « Un Américain à Paris – on dirait que ça marche on ne peut mieux, de nos jours ! »

Responsable du domaine anglophone, j'avais pris des gants pour lui faire remarquer que Steffen Lark était un *Anglais* qui s'appelait en réalité *Stephen Clarke* et connaissait un grand succès en écrivant des livres humoristiques sur la France.

«Des livres humoristiques sur Paris. Un Anglais. Bon, bon», avait déclaré M. Monsignac en dodelinant de la tête. «Arrêtez de me faire la leçon, André, apportez-moi plutôt un Clarke, je vous paie pour quoi? Vous êtes un dénicheur ou pas?»

Quelques mois plus tard, je sortais de mon chapeau le manuscrit d'un certain Robert Miller, dont l'esprit et l'inventivité n'avaient rien à envier à ceux de son modèle populaire. Nous avions calculé notre coup, le livre se vendait extrêmement bien et je devais maintenant en payer les conséquences. Que dit ce joli proverbe, déjà? «L'orgueil précède la chute.» Avec Robert Miller, je me trouvais en pleine chute libre.

Si Jean-Paul Monsignac avait fini par retenir le nom de son nouvel auteur à succès («Comment s'appelle cet Anglais, déjà – Meller?»), c'était uniquement parce qu'il possédait un homonyme célèbre («Non, monsieur Monsignac, pas Meller – *Miller*!») qui avait obtenu la consécration («Miller? Ça ne serait pas un parent d'*Henry* Miller, par hasard?»).

Tandis que le comité se demandait encore s'il fallait attribuer la citation à Hobbes, je songeai soudain que Monsignac, en dépit de son caractère épouvantable, était le meilleur éditeur, le plus humain qu'il m'ait été donné de connaître en quinze ans de travail dans l'édition. J'avais du mal à lui mentit, mais apparemment, je n'avais pas le choix.

— Et si on se contentait de faire parvenir par écrit à Robert Miller les questions du *Figaro* et qu'on transmettait ses réponses à la presse ? Comme on l'avait fait à l'époque avec cet auteur coréen ? Ça avait très bien marché.

C'était une dernière tentative pitoyable pour éviter les ennuis. Bien entendu, elle ne convainquit pas.

— Non, non et non, ça ne me plaît pas ! objecta Monsignac en levant les mains.

— C'est exclu ! On va perdre toute spontanéité, intervint Michelle Auteuil, regard réprobateur derrière ses lunettes Chanel noires.

Voilà des semaines que Michelle me rabâchait qu'il nous fallait organiser quelque chose avec « ce sympathique Anglais ». Jusqu'à présent, j'avais fait la sourde oreille. Mais elle avait désormais de son côté un des principaux journaux et, pire encore, mon patron.

Michelle est notre attachée de presse, elle ne s'habille qu'en noir ou en blanc et je déteste ses jugements à l'emporte-pièce.

Chemisier blanc impeccable sous un tailleur noir, elle assène des phrases telles que « Ça ne va pas *du tout* » quand on vient lui proposer une idée qu'on juge grandiose, parce qu'on croit en la bonté humaine et qu'on pense encore qu'elle peut s'enthousiasmer pour un titre. « Aucun journaliste culturel au monde ne lit sérieusement des romans historiques, André – vous pouvez oublier ! » À moins qu'elle ne déclare : « Une séance de dédicaces avec une auteure *inconnue*, qui écrit des *nouvelles*, en plus ? Je vous en prie, André ! Qui voulez-vous que ça séduise ? Cette dame est sélectionnée pour le prix Maison, au moins ? Non ? » Puis elle soupire, lève les yeux au ciel et agite impatiemment le petit stylo-bille en argent qui ne la quitte pas. « Vous ne connaissez vraiment rien au métier d'attaché de presse, hein ? Il nous faut des noms, des noms, des noms. Trouvez un préfacier célèbre, au moins. »

Avant qu'on ne puisse argumenter, son portable se remet à sonner et elle salue avec effusion un de ces animateurs télé, un de ces journalistes qui ne lisent « sérieusement » aucun roman historique et se croient sortis de la cuisse de Jupiter parce qu'une belle femme aux longues jambes et aux cheveux noirs, soigneusement lissés, plaisante avec eux.

Tout cela me traversait l'esprit tandis que Michelle Auteuil, assise en face de moi, guettait ma réaction.

Je me raclai la gorge.

— La spontanéité, répétai-je pour gagner du temps. C'est bien là le problème.

J'adressai un regard éloquent à chacun des membres du comité de lecture.

Michelle ne sourcilla pas. Elle ne faisait définitivement pas partie des femmes que des manœuvres rhétoriques font sortir de leur réserve.

— Vous voyez, ce Miller est loin d'être aussi drôle et d'avoir autant de repartie qu'on pourrait le penser, poursuivis-je. Il n'est pas très spontané non plus – comme la plupart des écrivains, du reste. Ce n'est pas un de ces types de la télé qui blablatent jour et nuit, tout en ayant besoin d'un nègre pour écrire leurs livres.

Les yeux bleus de Michelle se rétrécirent (je n'avais pas pu m'empêcher de lancer cette pique).

— Tout ça ne m'intéresse pas ! – La patience de Jean-Paul Monsignac était à bout. Il brassait l'air avec le livre de Miller, et je n'aurais pas été surpris qu'il le jette sur moi. – Ne soyez pas puéril, André. Ramenez-moi cet Anglais à Paris ! Je veux une belle interview dans *Le Figaro* avec plein de photos, et basta !

Mon estomac se contracta douloureusement.

— Et s'il dit non ?

Monsignac plissa les yeux et se tut quelques secondes. Puis il déclara avec l'amabilité d'un bourreau :

— Faites en sorte qu'il dise oui.

Je hochai la tête, angoissé.

— En fin de compte, vous êtes le seul d'entre nous à connaître ce Miller, n'est-ce pas ?

Je hochai à nouveau la tête.

— Si toutefois vous ne vous sentez pas capable de le faire venir ici, je peux aussi lui parler. Ou peut-être... madame Auteuil ?

Cette fois, je ne hochai pas la tête.

— Non, non, ça ne serait... pas bon, ça ne serait pas bon du tout, me pressai-je de répondre, et je sentis le piège se refermer sur moi. Miller est un peu difficile, vous savez. Ce n'est pas qu'il soit désagréable, il est plutôt insaisissable, dans le genre de Patrick Süskind, mais on va... on va se débrouiller. Je vais contacter son agent aujourd'hui même.

Je posai la main sur ma barbe et pressai mon menton entre mes doigts, dans l'espoir que personne ne remarque ma panique.

— Bon, déclara Monsignac en se renversant dans son fauteuil. Patrick Süskind... ça me plaît ! – Il se mit à rire, l'air satisfait. – Eh bien, s'il n'écrit pas tout à fait avec l'intelligence d'un Süskind, il a meilleure allure, n'est-ce pas, madame Auteuil ?

— En effet ! fit Michelle avec un sourire malveillant. Bien meilleure. Enfin un auteur qu'on aura plaisir à présenter à la presse. Ça fait des semaines que je le répète. Et si notre estimé collègue se résout à faire venir son merveilleux auteur, plus rien ne s'opposera à notre bonheur.

Elle ouvrit son épais Filofax noir.

— Que pensez-vous d'un déjeuner avec les journalistes à la brasserie du Lutetia ?

Monsignac fit la grimace, mais il n'ouvrit pas la bouche. Je crois que personne à part moi ne savait qu'il n'appréciait pas particulièrement le Lutetia, à cause de son passé peu glorieux. « Cette vieille baraque à nazis », m'avait-il dit un jour, alors que nous étions invités à une soirée littéraire dans le grand hôtel. « Savez-vous qu'Hitler y avait son quartier général ? »

— Ensuite, nous accompagnerons notre auteur pendant qu'il fera ses emplettes dans Paris décoré pour Noël, reprit Michelle. Ça donnera une bonne histoire, et nous pourrons enfin faire quelques photos convenables. – Elle agita son stylo en argent et feuilleta son calendrier, l'air affairé. – Que diriez-vous de tabler sur début décembre ? Ça doperait les ventes de Noël...

Ce mardi après-midi-là, j'assistai au reste de la réunion comme à travers un épais brouillard. J'avais à peine trois semaines devant moi, et aucun plan. J'entendais au loin la voix de Jean-Paul Monsignac. Il critiquait sans détour, il riait fort, il flirtait un peu avec la jolie Mlle Mirabeau, la nouvelle assistante éditoriale. Il bombardait sa petite troupe de remarques, et ce n'est pas sans raison que les réunions des Éditions Opale étaient très appréciées et divertissantes.

Pourtant, une seule pensée m'habitait. Il fallait que j'appelle Adam Goldberg ! Lui seul pouvait m'aider.

Je m'efforçais de suivre les échanges du regard et je priais pout que la réunion s'achève rapidement. Le comité se concerta sur le calendrier de différentes manifestations et passa en revue les chiffres de vente du mois d'octobre. Des projets furent présentés, suscitant le refus (« Qui va vouloir lire ça ? »), l'incompréhension (« Qu'en pensent les autres ? ») ou l'adhésion du directeur éditorial (« Magnifique ! On va en faire une nouvelle Gavalda ! »). Puis, alors que l'après-midi touchait à sa fin, une discussion houleuse éclata. Fallait-il consentir, pour le polar d'un glacier vénitien – un parfait inconnu, recommandé chaleureusement par son agente américaine, habile en affaires, qui voyait en lui «un Donna Leon masculin» –, une avance avec laquelle le simple mortel pouvait s'offrir un petit *palazzo*? Monsignac mit un terme aux «pour» et aux «contre» en prenant le manuscrit des mains de Mme Mercier et en l'enfonçant dans sa vieille serviette en cuir brun.

— Assez discuté, on en reparlera demain, laissez-moi y jeter un coup d'œil.

Ceci aurait pu donner le signal du départ si, à cet instant, Mlle Mirabeau n'avait pas pris la parole. Avec timidité, et un grand luxe de détails qui firent bâiller tous les autres, elle rapporta la lecture d'un manuscrit non sollicité dont il était clair, dès la troisième phrase, qu'il n'accéderait jamais au monde des livres. Monsignac leva la main pour faire cesser l'agitation qui se manifestait soudain dans la pièce. Mlle Mirabeau était dans un tel état d'excitation qu'elle ne remarqua même pas les regards d'avertissement qu'il nous adressait.

— C'était très bien, mon petit, déclara-t-il après qu'elle eut enfin mis de côté la dernière feuille de son bloc-notes.

Mlle Mirabeau, qui ne participait à notre comité de lecture que depuis quelques semaines, rougit de soulagement.

— D'un autre côté, je ne suis pas sûre que ça soit publiable, en fin de compte, murmura-t-elle dans un souffle.

Monsignac hocha la tête, la mine grave.

— Je crains que vous n'ayez raison, mon petit, dit-il patiemment. Mais ne vous en faites pas. On reçoit tellement d'âneries ! Vous lisez le début : des âneries. Vous regardez au milieu : des âneries. La fin : des âneries. Quand quelque chose de ce genre atterrit sur son bureau, on peut s'épargner la peine de le lire en entier et... de gaspiller sa salive.

Mlle Mirabeau fit signe qu'elle avait compris, les autres eurent un sourire circonspect. Le directeur éditorial des Éditions Opale, dans son élément, se balançait d'avant en arrière sur son fauteuil.

— Je vais maintenant vous révéler un secret, mademoiselle Mirabeau, déclara-t-il, et chacun d'entre nous savait ce qui allait suivre, car nous l'avions tous déjà entendu une fois. Un bon livre est bon à *chaque* page.

C'est sur ces nobles paroles que la réunion s'acheva véritablement.

Je m'emparai de mes manuscrits, courus jusqu'au bout de l'étroit couloir et me précipitai dans mon petit bureau.

À bout de souffle, je me laissai tomber dans mon fauteuil et composai le numéro à Londres, les mains tremblantes.

La sonnerie retentit à plusieurs reprises et je jurai à voix basse :

— Adam, décroche, nom de Dieu ! Le répondeur se déclencha :

« Goldberg International Literary Agency. Vous êtes en communication avec notre répondeur.

Vous appelez malheureusement en dehors de nos heures d'ouverture. Merci de laisser votre message après le bip sonore. »

J'inspirai profondément.

— Adam ! – Même à mes oreilles, on aurait dit un appel au secours. – C'est André. Rappelle-moi tout de suite, s'il te plaît. On a un problème !

Lorsque le téléphone sonna, j'étais dans le jardin d'un charmant cottage anglais. Perdue dans mes pensées, j'enlevais les feuilles flétries d'un buisson de roses thé odorantes qui grimpaient le long d'un mur en brique.

Quelques oiseaux gazouillaient, la matinée était emplie d'une paix presque irréelle et le soleil caressait mon visage, doux et chaud. Le parfait début d'une parfaite journée. Je décidai d'ignorer le téléphone ; j'enfouis mon visage dans une fleur particulièrement opulente, et la sonnerie cessa.

Puis j'entendis un léger craquement, et une voix que je connaissais bien, mais qui n'avait pas sa place ici, retentit derrière moi.

« Aurélie ?... Aurélie, tu dors encore ? Pourquoi tu ne réponds pas ? Bizarre... Tu es sous la douche, peut-être ?... Écoute, je voulais juste te dire que j'aurai une demi-heure de retard. J'apporte des croissants et des petits pains au chocolat, je sais que tu adores ça. Aurélie ? Aaallôôô ! Allôallôallô ! Décroche, s'il te plaît ! »

J'ouvris les yeux en soupirant et me dirigeai, chancelante, pieds nus, vers le couloir où le téléphone m'attendait sur sa base.

— Salut, Bernadette ! dis-je, encore toute endormie, et la roseraie anglaise s'estompa.

— Je t'ai réveillée ? Il est déjà neuf heures et demie.

Bernadette fait partie de ces gens qui aiment se lever tôt : pour elle, neuf heures et demie, c'est presque midi.

— Hm... hm.

Je bâillai, retournai dans ma chambre, coinçai l'écouteur entre mon oreille et mon épaule, et essayai d'attraper, du bout du pied, les ballerines éculées qui se trouvaient sous mon lit. L'un des inconvénients de posséder un petit restaurant, c'est qu'on n'est jamais libre le soir. L'avantage imbattable, à l'inverse, c'est que le matin, on peut commencer la journée sans se presser.

— J'étais au milieu d'un joli rêve, expliquai-je en ouvrant les rideaux.

Je regardai le ciel – pas de soleil ! – et mes pensées me ramenèrent au cottage ensoleillé.

— Tu vas mieux ? Je suis là très bientôt !

Je souris.

— Oui. Beaucoup mieux, déclarai-je, et je me rendis compte avec surprise que c'était vrai.

Trois jours s'étaient écoulés depuis que Claude m'avait quittée. Hier déjà, alors que je faisais mes achats dans le marché couvert, un peu fatiguée mais nullement malheureuse, puis le soir, au restaurant, tandis que j'accueillais les clients et que je leur vantais les délices du loup de mer préparé par Jacquie, j'avais à peine songé à lui. En revanche, j'avais beaucoup songé à Robert Miller et à son roman. Et à mon idée de lui écrire.

Une fois seulement, lorsque Jacquie m'avait passé le bras autour des épaules, d'un geste paternel, et avait déclaré : « Ma pauvre petite, comment a-t-il pu te faire ça, ce fumier ! Ah, les hommes sont des cochons, allez, tiens, mange une assiette de bouillabaisse », j'avais ressenti un léger pincement au cœur, mais au moins, je n'avais plus envie de pleurer. Cette nuit-là, de retour chez moi, je m'étais installée à la table de la cuisine avec un verre de vin. J'avais encore parcouru le livre, puis j'étais restée longtemps assise devant une feuille de papier blanc, mon stylo plume à la main. J'étais incapable de me rappeler quand, pour la dernière fois, j'avais rédigé une lettre, et voilà que j'écrivais à un homme que je ne connaissais même pas. La vie était étrange.

— Tu sais quoi, Bernadette ? dis-je, et je me rendis dans la cuisine pour mettre la table. Il s'est passé quelque chose de bizarre. Je crois que j'ai une surprise pour toi.

Une heure plus tard, Bernadette était assise devant moi et me regardait, stupéfaite.

— Tu as lu un *livre* ?

Elle était venue me consoler, avec un bouquet de fleurs et un énorme sachet de croissants et de petits pains au chocolat, et en lieu et place d'une malheureuse au cœur brisé qui détrempait un mouchoir en papier après l'autre, elle trouvait une Aurélie qui lui racontait avec excitation une histoire rocambolesque, les yeux brillants. Il y était question d'un parapluie moucheté qui s'était envolé, d'un policier sur un pont qui l'avait poursuivie, d'une librairie enchantée où Marc Chagall lui avait proposé des petits gâteaux et de ce roman merveilleux qu'elle avait acheté. Une Aurélie qui lui expliquait qu'elle avait passé la nuit à lire ce livre placé sur son chemin par le destin, qui avait chassé sa tristesse et attisé sa curiosité. Une Aurélie qui évoquait son rêve, le fait qu'elle avait écrit une lettre à l'auteur, et lui demandait si tout cela n'était pas des plus surprenant.

J'avais peut-être parlé trop vite ou de façon trop embrouillée, toujours est-il que Bernadette n'avait pas saisi l'essentiel, puisqu'elle résuma *mon* miracle en quelques mots simples :

— Donc, tu as acheté un guide sur les chagrins d'amour, et depuis tu vas mieux. C'est fantastique ! Je ne pensais pas que tu étais du genre à t'intéresser aux ouvrages de développement personnel, mais le principal, c'est que ça t'ait aidée.

Je secouai la tête.

— Non, non, non, tu n'as pas compris, Bernadette. Ce n'était pas un de ces bouquins de psychologie. C'est un roman, et je suis dedans !

Bernadette hocha la tête.

— Tu veux dire que l'héroïne pense comme toi, et que c'est ce qui t'a tant plu. – Elle sourit d'une oreille à l'autre et écarta les bras de manière théâtrale. – Bienvenue dans le monde des livres, chère Aurélie. Je dois dire que ton enthousiasme me redonne espoir. On fera peut-être de toi une lectrice tout à fait acceptable, finalement !

Je poussai un gémissement.

— Bernadette, écoute-moi maintenant. Oui, je ne lis pas beaucoup, mais là ce n'est pas n'importe quel roman. Il y a dedans une jeune femme qui me ressemble étrangement. D'accord, elle s'appelle Sophie, mais elle a des cheveux blond foncé, longs et ondulés, elle est de taille moyenne, mince, elle porte ma robe. Et à la fin, on la retrouve dans mon restaurant, Le Temps des cerises, rue Princesse.

Bernadette se tut un long moment. Puis elle déclara :

— Est-ce que cette femme est aussi avec un type cinglé et complètement débile, Claude, qui la trompe à tout bout de champ ?

— Non. Elle n'est avec personne. Plus tard, elle tombe amoureuse d'un Anglais qui trouve les us et coutumes des Français plutôt étranges. – Je jetai un morceau de croissant en direction de Bernadette. – Et puis Claude ne me trompait pas tout le temps !

— Qui sait ? Mais ne parlons pas de Claude ! Je veux voir tout de suite ce livre merveilleux !

Apparemment, Bernadette s'enflammait pour cette histoire. Peut-être aussi, tout simplement, trouvait-elle merveilleux tout ce qui m'éloignait de Claude et me rendait ma sérénité. Je me levai et allai chercher le livre, que j'avais posé sur le buffet.

— Tiens.

Bernadette jeta un coup d'œil sur la couverture.

— *Le Sourire des femmes*, lut-elle à voix haute. Un joli titre.

Elle feuilleta le roman avec intérêt.

— Tu vois... ici, dis-je avec ardeur. Et ici... Lis-moi ça !

Les yeux de Bernadette parcoururent le texte, tandis que j'attendais avec impatience.

— Eh bien... dit-elle finalement. J'admets que c'est un peu curieux. Mais, mon Dieu, les drôles de hasards, ça existe. Va savoir, l'auteur connaît peut-être ton restaurant, ou il en a entendu parler. Un ami de passage à Paris pour affaires lui en a vanté les mérites. Quelque chose dans le genre. Et, ne me comprends pas de travers, s'il te plaît, tu es très spéciale, Aurélie, mais tu n'es certainement pas la seule femme qui ait de longs cheveux blond foncé...

— Et la robe ? Qu'est-ce que tu fais de la robe ? insistai-je.

— Oui, la robe... – Bernadette réfléchit un moment. – Que veux-tu que je te dise, c'est une robe que tu as achetée un jour, quelque part. Je suppose que ce n'est pas un modèle que Karl Lagerfeld en personne a créé pour toi, si ? En d'autres termes, d'autres femmes pourraient porter la même. À moins qu'elle n'ait été drapée sur un mannequin, dans une vitrine. Il y a tellement de possibilités...

J'émis un grognement.

— Mais je comprends que tout ça te paraisse étonnant au plus haut point. Ça me ferait sûrement le même effet au premier abord.

— Je ne peux pas croire que ce soit un hasard, déclarai-je. Je ne peux pas le croire.

— Ma chère Aurélie, *tout* est hasard ou destin – si on veut. Je pense qu'il y a une explication simple à toutes ces coïncidences, mais ce n'est que mon avis. Quoi qu'il en soit, tu as trouvé ce livre au bon moment, et je suis heureuse que ça t'ait changé les idées.

Je hochai la tête, déçue. D'une façon ou d'une autre, je m'attendais à une réaction un peu plus démonstrative.

— Tu avoueras que ce genre de chose ne se produit pas souvent. Ça t'est déjà arrivé ?

— J'avoue tout ce que tu veux, assura-t-elle en riant. Et non, ça ne m'est jamais arrivé.

— Alors que tu lis beaucoup plus que moi, ajoutai-je.

— Oui, alors que je lis beaucoup plus que toi, répéta-t-elle. C'est vraiment dommage.

Elle examina le livre, avant de le retourner.

— Robert Miller... Jamais entendu parler. En tout cas, il est vachement beau.

Je hochai la tête.

— Et son livre m'a sauvé la vie. En quelque sorte, me hâtai-je d'ajouter.

Bernadette leva les yeux.

— Tu lui as écrit *ça* ?

— Non, bien sûr que non. Pas directement. Mais, oui, je l'ai remercié. Et invité à dîner dans mon restaurant, qu'il connaît déjà ou dont quelqu'un lui a parlé – si j'en crois ce que tu me dis.

Je n'évoquai pas la photo.

— Oh là là, fit Bernadette. Tu veux vraiment connaître le fin mot de l'histoire, hein ?

— Oui. En plus, il arrive que des lecteurs écrivent aux auteurs quand leurs livres leur ont plu. Ce n'est pas si inhabituel que ça.

— Tu veux me lire ta lettre ? demanda Bernadette.

— Surtout pas. Secret épistolaire. Et puis, je l'ai déjà cachetée.

— Et envoyée ?

— Non. – Alors seulement, je me rendis compte que je ne m'étais même pas posé la question de l'adresse. – Au fait, comment fait-on quand on veut écrire à un auteur ?

— Eh bien, tu pourrais contacter la maison d'édition, qui transmettra ton courrier à la personne concernée. – Bernadette reprit le livre pour chercher les mentions légales. – Voyons voir... Ah, voilà : copyright Éditions Opale, rue de l'Université, Paris. – Elle reposa le livre sur la table de la cuisine. – Ce n'est pas loin du tout. – Elle but une nouvelle gorgée de café. – Tu pourrais presque passer en personne et déposer ta lettre. – Elle me fit un clin d'œil. – Comme ça, elle arrivera plus vite.

— Tu es bête, Bernadette. Tu sais quoi ? C'est exactement ce que je vais faire.

C'est ainsi qu'en début de soirée, je fis un petit détour pour longer tranquillement la rue de l'Université et jeter une longue enveloppe doublée dans la boîte aux lettres des Éditions Opale, Elle portait l'inscription « À l'écrivain Robert Miller/Éditions Opale ». Au début, j'avais juste écrit « Éditions Opale/À l'attention de M. Robert Miller », mais je trouvais que « À l'écrivain » revêtait un ton plus solennel. Et j'avoue que je me sentais d'humeur solennelle lorsque j'entendis la lettre atterrir avec un léger bruit de l'autre côté de la grande porte cochère.

Quand on envoie une lettre, on met toujours quelque chose en branle. On initie un dialogue. On donne de ses nouvelles, on fait part de ses expériences, on confie ses états d'âme, à moins qu'on ne cherche à obtenir un renseignement. Un courrier implique toujours un expéditeur et un destinataire. Il provoque une réponse, en règle générale, sauf si l'on rédige une lettre d'adieu – et même dans ce cas, ce qu'on écrit concerne un interlocuteur vivant et déclenche une réaction, contrairement aux mots d'un journal intime.

Je n'aurais pas pu exprimer précisément le genre de réaction que j'attendais au juste avec cette lettre. J'espérais certainement plus que de placer un simple point final derrière mes remerciements.

J'attendais une réponse – à ma lettre et à mes questions –, et la perspective de connaître l'auteur qui faisait s'achever son récit au Temps des cerises était palpitante. Mais pas aussi palpitante que ce qui arriva en réalité.

On aurait dit qu'Adam Goldberg avait disparu de la surface de la terre. Il ne répondait pas, et chaque heure qui s'écoulait me rendait plus nerveux. Depuis hier soir, j'essayais de le contacter sans arrêt. Le fait qu'on puisse, en théorie, appeler quelqu'un sur quatre numéros différents mais qu'il ne soit finalement pas joignable, m'emplissait de haine envers l'ère numérique.

Dans son agence à Londres, la bande dont je connaissais désormais l'annonce par cœur se déroulait, infatigable. Même sur le portable professionnel d'Adam, personne ne décrochait ! Quant à sa ligne fixe personnelle, le téléphone sonnait dans le vide pendant de longues minutes, avant qu'un répondeur ne se mette en route. On pouvait alors entendre la voix aiguë de Tom, le fils d'Adam, âgé de six ans, qui babillait :

« Hi, the Goldbergs are not at home. But don't you worry – we'll be back soon and then we can taaaaalk... »

S'ensuivaient un gloussement et un grésillement, puis la précision qu'en cas d'urgence, on pouvait aussi joindre le chef de la famille Goldberg sur son portable personnel.

« *For urgent matters you can reach Adam Goldberg on his mobile...* » Nouveau grésillement, puis un chuchotement : « *What's your mobile number, daddy ?* » Ensuite, la voix d'enfant hurlait un autre numéro de téléphone que je ne connaissais pas du tout. Quand on composait ce numéro, une voix automatique vous indiquait aimablement que votre correspondant n'était « pas disponible pour le moment ». Cette fois, on ne pouvait même pas laisser de message, mais on était prié de réessayer ultérieurement. « *This number is temporarily not available, please try again later* », telle était la formule lapidaire qui me faisait grincer des dents.

De retour à la maison d'édition, dès le matin, j'écrivis à la Literary Agency dans l'espoir qu'Adam relèverait ses mails, où qu'il se trouve.

Cher Adam, j'essaie de te joindre par tous les moyens. Où te caches-tu ?!. Il y a le feu ici !!! Rappelle-moi DE TOUTE URGENCE, s'il te plaît, de préférence sur mon portable. Il s'agit de notre auteur Robert Miller, qui doit venir à Paris. Amitiés, ton André.

La réponse arriva une minute plus tard, et je poussai un soupir de soulagement... puis j'ouvris le message bilingue :

Sorry, I'm out of the office. For urgent matters you can reach me on my mobile.

Je ne suis malheureusement pas au bureau. En cas d'urgence, vous pouvez me joindre sur mon téléphone portable.

Suivait le numéro qui était *temporarily not available* quand on le composait. Et la boucle était bouclée.

Je tentai de travailler. Je parcourus des manuscrits, répondis à des mails, rédigeai quelques textes de présentation, bus mon cent cinquantième expresso bien tassé et fixai mon téléphone. Il avait déjà sonné un certain nombre de fois ce matin-là, mais jamais je n'avais eu mon ami et collaborateur Adam Goldberg à l'autre bout de la ligne.

J'avais, entre autres, reçu l'appel d'Hélène Bonvin, une auteure française, très gentille mais très prenante. Soit elle se trouvait au beau milieu d'une crise d'exaltation, et elle me rapportait la moindre idée qu'elle avait couchée sur le papier – si cela n'avait tenu qu'à elle, elle m'aurait probablement lu la totalité de son manuscrit au téléphone. Soit elle était victime d'une panne d'inspiration, et je devais mobiliser toutes mes forces pour la convaincre qu'elle était un écrivain remarquable.

Cette fois, j'avais eu droit à la panne d'inspiration.

— Je suis complètement vidée, plus rien ne me vient, s'était-elle plainte dans l'écouteur.

— Ah, Hélène, vous dites toujours ça, et en fin de compte, vous accouchez d'un roman formidable.

— Pas cette fois, avait-elle déclaré d'une voix lugubre. L'intrigue cloche d'un bout à l'autre. Vous savez quoi, André ? Hier, j'ai passé toute la journée assise devant ce foutu ordinateur, et le soir venu, j'ai effacé tout ce que j'avais écrit, parce que c'était vraiment *épouvantable*. Plat, sans imagination et rempli de clichés. Personne ne veut lire ce genre de chose !

— Voyons, Hélène, tout cela est totalement faux. Vous avez un style merveilleux – lisez donc les critiques enthousiastes de vos lecteurs sur Amazon. Par ailleurs, il est tout à fait normal d'avoir de temps en temps un passage à vide. Pourquoi ne pas prendre un jour de repos ? Ensuite, les idées fuseront à nouveau, vous verrez.

— Non. J'ai une drôle de sensation. Je n'y arriverai plus. Il vaut mieux oublier ce roman... Je...

— Ne dites pas de bêtises ! l'avais-je interrompue. Vous voulez jeter le manche après la cognée sur les derniers mètres ? Le livre est presque terminé.

— Peut-être, mais il n'est pas *bon*, avait-elle répliqué avec entêtement. Il faudrait que je récrive l'ensemble. Au fond, je peux tout effacer.

J'avais soupiré. C'était toujours la même histoire avec Hélène Bonvin. Curieusement, alors que la plupart des auteurs avec lesquels je travaillais craignaient les premières pages et tournaient autour, mettant un temps fou avant de se résoudre à les attaquer, cette femme était toujours victime de crises de panique lorsqu'elle avait déjà écrit les trois quarts de son manuscrit. Alors, brusquement, plus rien ne lui plaisait, tout était un tas d'âneries, la pire des choses qu'elle ait jamais produite.

— Hélène, écoutez-moi bien. Vous n'allez rien effacer du tout ! Envoyez-moi ce que vous avez déjà écrit, je vais regarder ça tout de suite. On en parle après, d'accord ? Je parie que ce sera fantastique, comme d'habitude.

J'avais cherché à persuader Hélène Bonvin pendant dix minutes encore, avant de reposer le combiné, épuisé.

En fin de matinée, je me rendis au secrétariat, où Mme Petit bavardait avec Mlle Mirabeau.

— Adam Goldberg a-t-il appelé ? demandai-je, et Mme Petit, dont la robe à grosses fleurs colorées épousait les formes généreuses, me sourit par-dessus sa tasse de café.

— Non, monsieur Chabanais. Je vous l'aurais dit tout de suite. Juste ce traducteur, M. Favre, qui aurait encore quelques questions, mais qui vous recontactera plus tard. Et... ah oui, votre mère a téléphoné et demande que vous la rappeliez au plus vite.

Je levai les mains en un geste de refus.

— Pour l'amour de Dieu !

Quand ma mère demandait que je la rappelle au plus vite, cela me prenait au moins une heure. Pour autant, ce n'était jamais urgent.

Contrairement à moi, elle avait beaucoup de temps, et elle aimait m'appeler au bureau car il y avait toujours quelqu'un pour décrocher. Quand je n'étais pas disponible, elle discutait avec Mme Petit, qui la trouvait « tout à fait charmante ». J'avais donné un jour à maman mon numéro aux Éditions Opale

– en cas d'urgence. Malheureusement, sa conception de l'urgence était très différente de la mienne, et elle avait le chic pour téléphoner chaque fois que j'étais pressé de partir à un rendez-vous, ou que j'étais sous tension parce que je relisais un manuscrit qui devait être envoyé en composition l'après-midi même.

— Le vieil Orban est tombé de son échelle en cueillant des cerises, et maintenant, il est à l'hôpital... Fracture du col du fémur ! Tu te rends compte ? Je veux dire... qu'est-ce qui lui prend de grimper aux arbres à son âge ?

— Maman, s'il te plaît ! Je n'ai vraiment pas le temps !

— Mon Dieu, André, ce que tu peux être agité (impossible d'ignorer la réprobation dans sa voix). Je pensais que ça t'intéresserait ; après tout, tu étais très souvent chez les Orban, enfant...

Ces conversations s'achevaient de manière désagréable, en général. Soit je supportais patiemment son coup de fil et j'essayais de continuer à travailler, mais je disais souvent «Aha» ou «Oh là là» au mauvais moment, tant et si bien que ma mère finissait par s'écrier, en colère : «André, est-ce que tu m'écoutes, au moins ?!» Soit je lui coupais la parole d'un «Je ne peux pas, là !» irrité, avant même qu'elle ne se lance, et je devais l'entendre me reprocher d'être trop nerveux et de ne pas manger correctement.

Pour éviter que maman ne soit vexée pendant cent sept ans, je devais promettre de l'appeler le soir de chez moi, «au calme».

C'est pourquoi il valait mieux pour tout le monde qu'elle ne parvienne pas à me joindre au bureau. «Si ma mère appelle, dites-lui que je suis en réunion et que je la rappellerai ce soir», voilà ce que je ne cessais de recommander à Mme Petit, mais la secrétaire faisait cause commune avec maman.

«Mais, André – c'est votre *mère*!» disait-elle, résistant une fois de plus à mon injonction. Et quand elle voulait me contrarier, elle ajoutait : «Je trouve aussi qu'il vous arrive d'être très énervé.»

— Écoutez, madame Petit, déclarai-je cette fois en lui adressant un regard menaçant. Je suis vraiment sous pression, ne me passez pas... surtout pas ma mère. Ni quiconque qui me fasse perdre mon temps – à moins que ce ne soit Adam Goldberg ou quelqu'un de son agence. J'espère que je me suis bien fait comprendre !

La jolie Mlle Mirabeau me regardait avec de grands yeux. Lors de sa première semaine chez nous, alors que je l'avais prise sous mon aile et que je lui expliquais patiemment les tenants et les aboutissants du travail d'éditeur, elle m'avait souri d'un air admiratif, avant de dire que je ressemblais énormément à ce gentil éditeur anglais dans l'adaptation cinématographique du thriller de John le Carré, *La Maison Russie*, ce barbu aux yeux bruns – en plus jeune, naturellement.

Cela m'avait pas mal flatté. Quel homme n'apprécierait pas d'être comparé à Sean Connery (en plus jeune), ce gentleman-éditeur britannique qui, en plus d'être cultivé, a suffisamment d'intelligence pour berner tous les services secrets ? À présent, surprenant son regard consterné, je ne pus m'empêcher de passer ma main dans les poils courts de ma barbe brune. Elle me prenait probablement pour un monstre, maintenant.

— Comme vous voudrez, monsieur Chabanais, répliqua Mme Petit d'un ton acerbe.

En sortant, je l'entendis glisser à Mlle Mirabeau :

— Ce qu'il peut être de mauvaise humeur, aujourd'hui ! Pourtant, sa mère est une vieille dame adorable...

Je claquai la porte de mon bureau et me laissai tomber dans mon fauteuil. Maussade, je fixai l'écran de mon ordinateur et étudiai mon reflet sur la surface bleu foncé. Non, rien ne me liait à ce bon vieux Sean, aujourd'hui. Si ce n'est que j'attendais toujours l'appel d'un agent qui, s'il ne possédait aucun document confidentiel, partageait un secret avec moi.

Adam Goldberg était l'agent de Robert Miller. L'Anglais volubile et malin dirigeait depuis des années sa petite agence littéraire à Londres, avec beaucoup de succès, et je l'avais trouvé sympathique dès notre première conversation. Depuis, nous avions écumé ensemble tant de salons du livre, et passé presque autant de soirées joyeuses dans des clubs de Londres et des bars de Francfort que nous étions devenus bons amis. C'était également lui qui m'avait proposé le manuscrit de Robert Miller, dont il m'avait vendu les droits en échange d'une avance plutôt modeste.

C'était du moins la version officielle.

— Bien joué, André ! s'était exclamé M. Monsignac lorsque je lui avais annoncé que le contrat était conclu, et je m'étais senti un peu mal.

— Ce n'est pas le moment de faire dans ton froc, avait déclaré Adam avec un large sourire. Vous vouliez un Stephen Clarke, vous en avez un. Vous allez facilement amortir l'avance. En plus, tu économises les frais de traduction. Les choses ne peuvent pas aller mieux.

Les choses étaient allées mieux encore, et les convoitises grandissaient. Qui aurait pu se douter que le petit roman de Robert Miller, avec Paris pour toile de fond, se vendrait aussi bien ?

Je me renversai lourdement dans mon fauteuil et repensai à ce moment de la Foire du livre de Francfort où, installé au Jimmy's Bar avec Adam, je lui avais expliqué quel type de roman nous recherchions pour notre maison.

Stimulé par quelques boissons alcoolisées, j'avais développé les grandes lignes d'une intrigue possible.

— *Sorry*, je n'ai rien de ce genre pour l'instant, avait répondu Adam.

Puis il avait ajouté, désinvolte :

— Cela dit, le pitch me plaît. Bravo. Au fait, pourquoi ne pas écrire le livre toi-même ? Je me ferai un plaisir de le vendre aux Éditions Opale.

C'est alors que tout avait commencé.

J'avais d'abord refusé en riant :

— Jamais, quelle idée ! Je ne pourrais pas. Je retravaille des romans, je ne les *écris* pas !

— *Bullshit*, avait rétorqué Adam. Tu as déjà collaboré avec tant d'auteurs que tu sais parfaitement de quoi il retourne. Tu as des idées originales, un bon sens du suspense, personne n'écrit des mails aussi drôles que les tiens et même bourré, tu pisses plus loin qu'un Stephen Clarke.

Trois heures et quelques mojitos plus tard, j'avais presque la sensation d'être Hemingway.

— Je ne peux quand même pas écrire ce livre sous mon vrai nom, avais-je objecté. Je suis *employé* dans cette boîte.

— Rien ne t'y oblige, *hombre* ! Qui écrit encore sous son vrai nom ? C'est tellement *old school* ! Personnellement, je représente des auteurs qui possèdent jusqu'à deux ou trois pseudonymes et écrivent pour des éditeurs très différents. D'ailleurs, John le Carré s'appelle en réalité David Cornwell. On va t'inventer un chouette pseudo. Qu'est-ce que tu dirais d'Andrew Ballantine ?

— Andrew Ballantine ? avais-je fait en grimaçant. Ballantine, c'est déjà le nom d'une maison d'édition, et puis Andrew – je m'appelle André, et je vais acheter ce truc, en plus, on va sentir que...

— *Okay, okay*, attends, je le tiens : Robert Miller ! Alors, qu'en penses-tu ? C'est tellement normal que ça sonne tout à fait vrai.

— Et si on est démasqués ?

— On ne sera pas démasqués. Tu écris ton livre. Je le propose à votre maison, c'est-à-dire à toi. Les contrats passent tous par moi. Vous allez gagner une jolie petite somme avec, ce genre de bouquin marche toujours. Tu recevras ta part. Le vieux Monsignac aura enfin son roman à la Stephen Clarke. Et au bout du compte, tout le monde sera satisfait. Fini, *end of story*.

Adam avait choqué son mojito contre mon verre.

— À Robert Miller ! Et à son roman. À moins que tu n'oses pas ? *No risk, no fun*. Allez, on va bien s'amuser !

Il avait ri comme un petit garçon.

Je regardais Adam. Assis devant moi, il respirait la joie de vivre. Brusquement, tout semblait si simple… Et quand je pensais à mon salaire tout sauf spectaculaire et à mon compte en permanence dans le rouge, l'idée d'une source de revenus supplémentaire était très alléchante. Quels que soient les attraits de ce métier, même en tant qu'éditeur, comme dans mon cas, on ne gagnait pas précisément des sommes exubérantes. Beaucoup d'éditeurs que je connaissais travaillaient comme traducteurs pendant leur temps libre, ou ils publiaient des anthologies de Noël, pour améliorer leur salaire plutôt modeste. Le secteur du livre n'était pas le secteur automobile. En revanche, sa galerie de portraits était plus intéressante.

C'est ce qui me frappait toujours quand je me trouvais dans un salon du livre et que, debout sur l'escalator, je voyais venir à ma rencontre toute la phalange de professionnels en train de parler, de réfléchir ou de rire. Un bourdonnement animé dominait les halls, que des millions de pensées et d'histoires faisaient vibrer. On aurait dit une famille remuante, intelligente, gaie, coquette, exaltée, pleine de vie, bavarde et incroyablement vive d'esprit. Et c'était un privilège d'y appartenir.

Bien sûr, à côté des grands personnages au caractère bien trempé, ces éditeurs admirés ou haïs, on comptait des managers purs et durs qui affirmaient qu'en principe, cela revenait au même de faire le commerce de canettes de Coca ou de livres. Pour eux, finalement, ce n'était toujours qu'une question de marketing, et un peu de contenu, naturellement (qu'ils appelaient *content*). Mais avec le temps, même ces types ne restaient pas impassibles face au produit auquel ils avaient affaire jour après jour.

Nulle part ailleurs on ne rencontrait autant de personnes impressionnantes, brillantes, intrigantes, spirituelles, curieuses et diligentes réunies en un même lieu. Tout le monde savait tout, et avec la phrase « Vous connaissez la dernière ? », on révélait, sous le sceau de la discrétion, tous les secrets que le secteur avait à offrir.

Vous connaissez la dernière ? Marianne Dauphin aurait une aventure avec le directeur marketing de Garamond et elle serait enceinte. Vous connaissez la dernière ? Les éditions Borani ont fait faillite et un groupe de parfumerie doit les racheter cette année. Vous connaissez la dernière ? Les éditeurs des Éditions Opale écrivent eux-mêmes leurs livres, maintenant, et ce Robert Miller est en réalité français, ha, ha, ha !

J'avais remarqué que la pièce se mettait à tourner autour de moi. À l'époque, on pouvait encore fumer dans les lieux publics, et à trois heures du matin, le Jimmy's Bar était une concentration unique, assourdissante et enivrante de fumée, d'alcools et de voix.

— Mais pourquoi faut-il que ce soit un nom anglais, tout ça devient bien trop compliqué pour moi, avais-je déclaré faiblement.

— Andy, *come on* ! C'est *justement* ce qu'il y a de drôle là-dedans ! Personne ne voudrait d'un Parisien qui écrit sur Paris. Non, non, il nous faut un vrai auteur anglais qui utilise tous les clichés. De l'humour britannique, un hobby insolite, de préférence un célibataire séduisant avec un petit chien. Je le vois déjà devant moi. – Il avait hoché la tête. – Robert Miller est parfait, crois-moi.

— *Really clever*, avais-je répondu, impressionné, avant de prendre une poignée d'amandes grillées.

Adam avait fait tomber les cendres de son cigarillo et s'était calé confortablement dans son fauteuil en cuir.

— *It's not clever – it's brilliant !* avait-il répliqué, comme son personnage préféré, King Rollo, avait l'habitude de le faire toutes les dix minutes dans le dessin animé du même nom.

Le reste appartenait maintenant au passé. J'avais écrit le roman, et cela m'avait été plus facile que je ne l'aurais pensé. Adam avait rédigé les contrats et il avait même fourni une photo d'auteur : celle de son frère, son aîné de deux ans, un dentiste débonnaire du Devon qui avait lu tout au plus cinq livres dans sa vie et qui était plus ou moins au courant – plutôt moins que plus – qu'il était l'auteur d'un roman. «*How very funny*» – voilà l'unique commentaire que la situation lui avait inspiré, à en croire Adam.

Cet homme paisible trouverait-il encore drôle de venir à Paris pour parler de son livre avec des journalistes et en donner une lecture ? Je me permettais d'en douter. Connaissait-il seulement la ville pour laquelle il avait un faible, à en croire son curriculum, ou n'avait-il encore jamais quitté son tranquille Devon ? Serait-il en mesure de parler et de lire devant un public ? Peut-être avait-il un défaut d'élocution, à moins qu'il ne refuse, par principe, de se livrer à un numéro d'homme de paille. Brusquement, je me rendais compte que je ne savais absolument rien du frère d'Adam, sauf qu'il était Balance ascendant Balance (un modèle d'équilibre, d'après Adam), et qu'il avait son métier dans le sang (quoi que cela puisse signifier). Je ne connaissais même pas son nom. Mais si, je le connaissais, bien sûr : Robert Miller.

— Et merde !

J'éclatai d'un rire désespéré et maudis la soirée qui avait vu naître ce projet délirant. «*It's not clever, it's brilliant !*» répétai-je, singeant mon ami. Oui, c'était bien l'idée loufoque la plus brillante qu'Adam le rusé ait jamais eue, mais à présent, tout menaçait d'échapper à notre contrôle et j'allais m'attirer une foule d'ennuis.

— Qu'est-ce que je vais faire, mais qu'est-ce que je vais faire ? murmurai-je.

Comme hypnotisé, je fixais l'économiseur d'écran qui affichait, l'une après l'autre, des plages de rêve aux Caraïbes. J'aurais donné beaucoup pour me retrouver très loin d'ici, allongé sur une de ces chaises longues blanches, sous les palmiers, un mojito à la main, à contempler pendant des heures l'immensité du ciel bleu.

On frappa de manière hésitante à ma porte.

— Qu'est-ce que c'est encore ? m'écriai-je d'un ton bourru, et je me redressai.

Mlle Mirabeau entra prudemment dans la pièce. Elle portait une épaisse pile de feuilles imprimées et me regardait comme si j'étais un ogre qui dévorait des petites filles blondes pour son petit déjeuner.

— Excusez-moi, monsieur Chabanais, je ne voulais pas vous déranger.

Nom de Dieu, il fallait que je me ressaisisse !

— Non, non, vous ne me dérangez pas... Entrez donc ! – J'esquissai un sourire. – Qu'y a-t-il ?

Elle s'approcha et déposa la pile de papiers sur mon bureau.

— C'est la traduction de l'italien que vous m'avez demandé de revoir la semaine dernière. J'ai terminé.

— Bien, bien, je regarderai ça plus tard, expliquai-je en prenant la liasse de feuillets et en la mettant de côté.

— C'était une très bonne traduction. Elle ne m'a pas donné beaucoup de travail.

Mlle Mirabeau croisa les bras dans son dos et se figea sur place.

— Ça me fait plaisir d'entendre ça, déclarai-je. On a parfois de la chance.

— J'ai aussi essayé de rédiger le texte de quatrième de couverture. Il est sur le dessus.

— Fantastique, mademoiselle Mirabeau. Merci. Merci beaucoup.

Son visage fin, en forme de cœur, se teinta d'un rose tendre. Soudain, elle se lança :

— Je suis vraiment désolée que vous ayez des ennuis, monsieur Chabanais.

Mon Dieu, comme elle était mignonne ! Je me raclai la gorge.

— Ce n'est pas si grave, répliquai-je en espérant donner l'impression que je maîtrisais la situation.

— Ça n'a pas l'air très facile avec ce Miller. Mais vous finirez bien par le convaincre.

Elle m'encouragea d'un sourire et se dirigea vers la porte.

— Vous pouvez compter là-dessus, lui assurai-je, et l'espace d'un moment bienheureux, j'oubliai que mon problème n'était pas Robert Miller, mais le fait qu'il n'existait pas.

Je m'y attendais... Le téléphone sonna alors que je venais de sortir mon sandwich au jambon de son emballage et que je mordais dedans avec appétit. J'arrachai le combiné à son support et tentai de glisser dans une joue la bouchée que je n'avais pas eu le temps de mastiquer.

— Hm... oui ?

— J'ai ici une dame. Elle dit que c'est à propos de Robert Miller – je vous transfère l'appel ou pas ?

C'était Mme Petit, toujours vexée, de toute évidence.

— Oui, oui, bien sûr, bredouillai-je en essayant de déglutir. C'est l'assistante de Goldberg, passez-la-moi, passez-la-moi !

Décidément, Mme Petit peinait parfois à additionner deux et deux.

J'entendis un grésillement, puis une voix féminine un peu essoufflée :

— Allô, monsieur André Chabanais ?

— Lui-même, répondis-je, libéré du dernier morceau de sandwich. – Je me fis la réflexion que les assistantes d'Adam avaient toujours des voix très agréables. – Merci de me rappeler aussi vite, je dois parler de toute urgence avec Adam. Qu'est-ce qu'il fabrique, au fait ?

Le long silence à l'autre bout de la ligne m'irrita. Brusquement, mon sang se glaça et je ne pus m'empêcher de repenser à cette histoire épouvantable... L'automne dernier, un agent américain s'était effondré dans sa cage d'escalier, victime d'une attaque, alors qu'il se rendait à un salon du livre.

— Adam va bien, n'est-ce pas ?

— Euh... Eh bien... Je ne peux malheureusement rien vous dire à ce sujet. – La voix semblait un peu perplexe. – En fait, j'appelle à propos de Robert Miller.

Elle avait manifestement lu le mail que j'avais adressé à Adam. À l'époque, lui et moi étions convenus de ne parler à *personne* de notre petit secret, et j'espérais qu'il avait respecté sa promesse.

— C'est bien pour cela que je dois absolument parler à Adam, avançai-je prudemment. Robert Miller doit venir à Paris, comme vous le savez probablement.

— Ah, fit la voix d'un ton réjoui. C'est *formidable* ! Non, je ne savais pas. Dites-moi... Avez-vous reçu ma lettre ? J'espère que ce n'est pas un problème que je l'aie mise directement dans votre boîte. Seriez-vous assez aimable pour la faire suivre à Robert Miller ? C'est terriblement important pour moi, vous savez !

Je commençais à avoir la sensation d'être Alice au pays des merveilles, lors de sa rencontre avec le Lapin blanc.

— Quelle lettre ? Je n'ai reçu aucune lettre, déclarai-je, troublé. Vous êtes bien de l'agence Goldberg International ?

— Oh, non. Ici Aurélie Bredin. Je n'ai rien à voir avec une agence. Je crois qu'il y a erreur. J'aimerais parler à l'éditeur de Robert Miller, déclara la voix avec une détermination aimable.

— Lui-même. – J'avais peu à peu le sentiment que la conversation se répétait. Je ne connaissais aucune Aurélie Bredin. – Eh bien, madame Bredin. Que puis-je pour vous ?

— Hier soir, j'ai glissé dans votre boîte une lettre pour Robert Miller, et je voulais juste m'assurer qu'elle était bien arrivée et qu'elle lui sera transmise.

J'eus enfin une illumination. Les choses n'allaient jamais assez vite pour ces gratte-papier.

— Ah, ça y est, je sais... Vous êtes la dame du *Figaro*, c'est ça ?

J'eus un petit rire forcé.

— Non, monsieur.

— Mais... qui êtes-vous, alors ?

— Aurélie Bredin, je viens de le dire, soupira la voix.

— Mais encore ?

— La lettre, répéta la voix avec impatience. Je voudrais que vous fassiez suivre ma lettre à M. Miller.

— De quelle lettre parlez-vous ? Je n'ai reçu aucune lettre.

— Ce n'est pas possible ! Je l'ai déposée hier en personne. Une enveloppe blanche. Adressée à l'écrivain Robert Miller. Vous l'avez *forcément* reçue !

La voix ne lâchait pas prise et c'était moi, à présent, qui commençais à perdre patience.

— Écoutez, madame, si je dis qu'il n'y a pas de lettre ici, vous pouvez me croire. Peut-être va-t-elle encore arriver, et nous la transmettrons avec plaisir. Entendu ?

Ma proposition ne semblait pas susciter un grand enthousiasme.

— Vous serait-il possible de me donner l'adresse de Robert Miller ? À moins qu'on ne puisse le joindre par mail ?

— Je suis désolé, nous avons pour principe de ne pas divulguer les adresses des auteurs. Ils ont droit à leur intimité.

Mais que s'imaginait cette femme ?

— Ne pourriez-vous pas faire une exception ? C'est vraiment important.

— Qu'entendez-vous par *important* ? Quels sont vos liens avec Robert Miller ? demandai-je, méfiant.

Il était très étrange pour moi de poser ce genre de question, mais la réponse que j'obtins était plus étrange encore.

— Si seulement je le savais... Vous voyez, j'ai lu son livre... un livre vraiment remarquable... et il y a dedans certaines choses qui... comment dire... Je voudrais poser quelques questions à l'auteur... et le remercier... Il m'a sauvé la vie, en quelque sorte...

Je fixai le combiné, incrédule. Cette femme n'était pas nette, voilà qui était sûr. Probablement une de ces lectrices surexcitées qui harcèlent sans pitié un auteur et, débordant d'enthousiasme, écrivent des phrases telles que «Il faut *absolument* que je fasse ta connaissance !», «Tu penses exactement comme moi !» ou «Fais-moi un enfant !».

Bon, j'avoue qu'aucune phrase de ce type n'était encore apparue dans le courrier des lecteurs adressé à Robert Miller – donc, à moi. Mais j'avais déjà reçu quelques lettres élogieuses que j'avais «fait suivre». En d'autres termes, je les avais lues, et comme, sujet à une certaine vanité, je ne pouvais me décider à les jeter, je les avais fourrées tout au fond de mon armoire en acier.

— Eh bien, repris-je. Ça me réjouit vraiment au plus haut point. Pour autant, je ne peux pas vous

91

donner l'adresse de Miller. Vous devrez vous contenter de passer par moi. Il n'y a pas d'autre choix.

— Mais vous disiez que vous n'avez pas reçu ma lettre. Dans ce cas, comment pouvez-vous la lui transmettre ? demanda la voix avec un mélange d'insoumission et de découragement.

J'aurais volontiers secoué la voix, mais les voix au téléphone ont, hélas, la particularité de ne pas pouvoir être secouées.

— Madame... rappelez-moi votre nom ?

— Bredin. Aurélie Bredin.

— Madame Bredin, dis-je en tentant de garder mon calme. Dès que cette lettre atterrira dans ma corbeille à courrier, je la lui ferai suivre, d'accord ? Peut-être pas aujourd'hui ou demain, mais je vais m'en occuper. Et maintenant, je dois malheureusement mettre un terme à cette conversation. J'ai d'autres obligations qui, je l'admets, ne sont sans doute pas aussi importantes que *votre lettre*, mais auxquelles je ne peux me soustraire. Je vous souhaite une bonne journée.

— Monsieur Chabanais ? ! s'écria la voix.

— Toujours là, répliquai-je d'un ton grincheux.

— Que ferons-nous si la lettre s'est perdue ? fit la voix, tremblante.

Je me passai la main dans les cheveux, à bout de nerfs. J'imaginais une dame très âgée, avec une chevelure emmêlée et beaucoup de temps devant elle, en train de griffonner ligne après ligne, les doigts perclus d'arthrose, tout en gloussant doucement.

— Alors, ma chère madame Bredin, vous en écrirez une autre, voilà tout. Sur ce, bonne journée.

Vous pouvez aussi bien en écrire cent, ça m'est égal, pensai-je, furieux, en claquant le combiné sur son support. *Aucune n'atteindra jamais son destinataire.*

J'avais à peine raccroché que la porte de mon bureau s'ouvrait et que Mme Petit passait la tête dans l'embrasure.

— Monsieur Chabanais ! s'exclama-t-elle, la voix chargée de reproche. M. Goldberg a déjà essayé de vous joindre deux fois, et votre ligne est constamment occupée ! Je l'ai au bout du fil, est-ce que je peux… ?

— Oui ! Oui, pour l'amour de Dieu !

Mon ami Adam était, comme toujours, d'un calme bouddhique.

— Il était temps ! m'emportai-je, après qu'il eut lancé avec décontraction son «*Hi-Andy-how-is-it-going ?*». Où te caches-tu ? ! As-tu seulement idée de ce qui se passe ici ? Je vais bientôt disjoncter, et tu ne décroches aucun de tes foutus appareils. Comment se fait-il que personne ne réponde au téléphone dans ton agence ? Tout le monde me stresse à propos de cet idiot de Miller. Des vieilles dames hystériques appellent ici parce qu'elles veulent son adresse. Monsignac veut une lecture. *Le Figaro* veut un article. Et tu sais ce qui se passera si le vieux découvre que Miller n'existe pas ? ! Je n'aurai plus qu'à faire mes cartons et à m'en aller !

Je dus reprendre mon souffle, et Adam en profita pour placer quelques mots.

— *Calm down, my friend*. Tout ira bien. Ne t'énerve pas. À laquelle de tes questions veux-tu que je réponde en premier ?

Je poussai un grognement.

— Bon... J'étais quelques jours à New York et j'ai rendu visite à différents éditeurs, Carol m'a accompagné et Gretchen a été bêtement victime d'une intoxication après avoir consommé des coquillages, si bien qu'en fin de compte, personne n'était présent à l'agence. Ma famille a saisi la balle au bond pour se rendre à Brighton, chez *grandma*. Emma avait emporté le portable personnel, mais elle avait oublié le chargeur. Quant à mon portable professionnel, il débloque en ce moment, ou alors la réception était trop mauvaise, toujours est-il que ton message m'est parvenu si décousu et déformé que je n'ai pas du tout compris de quoi il retournait. La loi de Murphy – un grand classique.

— La loi de Murphy ? Qu'est-ce que c'est encore que cette excuse ?

— Ce n'est pas une excuse. Si une chose peut mal tourner, elle va mal tourner, expliqua Adam. C'est la loi de Murphy. Pas la peine de faire dans ton froc, Andy ! Primo : tu ne feras *pas* tes cartons. Et deuzio : on va se débrouiller.

— Tu veux dire que *tu* vas te débrouiller, répliquai-je. Tu vas expliquer à ton gentil dentiste de frère qu'il doit se pointer ici, à Paris, pour jouer les Robert

Miller pendant deux jours. Après tout, le coup de la photo, c'était ton idée. Je ne voulais *aucune* photo, tu te rappelles ? Mais il te fallait toujours plus de détails à la noix. Photo, chien, cottage, humour. – Je m'interrompis un moment. – « Il vit dans un cottage avec son petit chien, Rocky. » *Rocky* ! – J'avais littéralement craché le mot. – Qui aurait l'idée d'appeler son chien Rocky ? C'est complètement débile !

— Rien de plus normal pour un Anglais, affirma Adam.

— Aha ! Bon... Il est comment, ton frère, au fait ? Je veux dire... il a le sens de l'humour ? Il sait s'exprimer ? Tu penses qu'il arrivera à faire illusion ?

— Oh... *well*... je pense que oui... déclara Adam, et je perçus une légère hésitation.

— Qu'est-ce qu'il y a ? insistai-je. Ne me dis pas qu'il a émigré en Amérique du Sud, entre-temps.

— Oh, non ! Mon frère ne mettrait jamais les pieds dans un avion.

Adam se tut à nouveau, mais son silence semblait plus tendu.

— Et ? le pressai-je.

— *Well*... Il y a juste un tout petit problème...

Je poussai un soupir et me demandai si notre non-auteur anglais n'aurait pas rendu l'âme.

— Il ne sait rien du livre, déclara tranquillement Adam.

— *Quoi ?* criai-je. – Dans un roman, les caractères auraient atteint une taille de cent vingt-cinq points au moins. – Tu ne lui as rien dit *du tout*. C'est une *blague* ou quoi ?

J'étais hors de moi.

— Non, répondit brièvement Adam.

— Pourtant, tu m'as rapporté qu'il avait dit «*How very fanny*». *How very funny* – c'étaient ses mots !

— Eh bien... pour être honnête, c'étaient les miens, expliqua Adam, contrit. À l'époque, il n'y avait aucune raison de tout lui raconter. Le livre n'est jamais sorti en Angleterre. Et quand bien même... mon frère ne lit jamais, de toute façon. Tout au plus des ouvrages spécialisés sur les dernières avancées techniques en matière d'implants dentaires.

— Nom de Dieu, Adam ! Tu as les nerfs solides ! Et la photo, alors ? Je veux dire, c'est son portrait, tout de même.

— Ah, ça ! Tu sais, Sam porte la barbe maintenant – personne ne l'aurait reconnu sur ce cliché.

Adam s'était ressaisi. Moi pas.

— Génial ! *How very funny !* m'exclamai-je, furieux. Et maintenant ? Il peut se raser ? Si *vraiment* il est disposé à se prêter à ce petit jeu. Alors que tu ne lui en as pas révélé un *traître* mot ! Bon sang ! C'est incroyable ! C'est fini pour moi ! Autant remballer mes affaires tout de suite.

Mes yeux se posèrent sur les rayonnages chargés de livres et sur la pile de manuscrits qui attendaient d'être révisés. Sur la grande affiche de la dernière exposition Bonnard au Grand Palais, qui représentait un beau paysage du sud de la France. Sur la statuette de bronze placée sur mon bureau, que j'avais rapportée de la villa Borghèse à Rome et qui figurait l'instant de la métamorphose en arbre de la belle Daphné fuyant Apollon.

Peut-être devrais-je me transformer en arbre, moi aussi ? Pour fuir, non un dieu, mais un Jean-Paul Monsignac écumant de colère.

« Vous avez un regard franc et honnête, avait-il affirmé en m'embauchant. J'aime les gens capables de vous regarder droit dans les yeux. »

Mélancolique, mon regard erra jusqu'à la jolie fenêtre à croisillons blancs d'où, par-delà les toits, je pouvais voir la pointe de l'église Saint-Germain-des-Prés et un bout de ciel bleu, les jours de printemps. Je poussai un profond soupir.

— Ce n'est pas le moment de faire dans ton froc, André, retentit au loin la voix d'Adam Goldberg. On va se débrouiller.

« On va se débrouiller » était manifestement sa devise dans la vie. Pas la mienne. Pas en ce moment, du moins.

— Sam me doit une faveur, de toute manière, reprit Adam, sans tenir compte de mon mutisme. C'est un garçon vraiment gentil et il jouera le jeu si je le lui demande, tu peux me faire confiance. Je vais l'appeler ce soir même et tout lui expliquer, *okay* ?

J'enroulai le cordon du téléphone autour de mon doigt, silencieux.

— Quelle serait l'échéance ? s'enquit Adam.

— Début décembre, marmonnai-je en considérant mon doigt saucissonné.

— Alors, ça veut dite qu'il nous reste plus de deux semaines ! s'écria Adam avec enchantement, à mon grand étonnement.

Pour moi, le temps était implacable. Pour lui, c'était un allié.

— Je te fais signe dès que j'aurai joint mon frère. Pas de raison de se mettre martel en tête, déclara-t-il sur un ton apaisant. – Puis mon ami anglais mit un terme à notre conversation avec une petite variante de sa réplique favorite. – *Don't worry.* On va se débrouiller *les doigts dans le nez* !

Le reste de l'après-midi n'eut rien d'exceptionnel. Je tentai de traiter la pile de manuscrits sur mon bureau, sans grande concentration.

Gabrielle Mercier passa, l'air important, pour me faire savoir que M. Monsignac, après avoir lu le roman du glacier italien (début – milieu – fin), ne nourrissait aucun espoir d'en faire un jour un Donna Leon masculin. « Un *glacier* qui écrit, ça se croit vraiment original, hein ? » avait déclaré Monsignac avec mépris. « De la prose de collégien, si vous voulez mon avis. Et même pas de suspense ! Quelle audace d'en demander autant d'argent ! Ils sont fous, ces Américains ! » C'était aussi l'opinion de Mme Mercier, qui partageait l'avis du directeur éditorial depuis vingt-cinq ans environ, et nous étions donc convenus à l'amiable de refuser le manuscrit.

Vers dix-sept heures trente, Mme Petit entra avec quelques lettres et des contrats à signer. Puis elle me souhaita une bonne soirée sur un ton condescendant, et prit congé en m'indiquant que le courrier du jour se trouvait au secrétariat.

— Oui, oui, fis-je en hochant la tête avec résignation.

Dans ses bons jours, Mme Petit m'apportait personnellement mon courrier et le déposait sur mon bureau. La plupart du temps, elle me demandait ensuite si je voulais un petit café. («Que diriez-vous d'un petit café, monsieur Chabanais ?») Naturellement, quand elle était fâchée contre moi, comme aujourd'hui, je ne bénéficiais pas de ce double privilège. Mme Petit n'était pas seulement une secrétaire imposante dotée d'une poitrine énorme pour les critères parisiens. C'était une femme de principes.

En règle générale, j'arrivais au bureau vers dix heures et j'y restais jusqu'à dix-neuf heures trente. La pause du déjeuner pouvait s'étirer, surtout quand j'invitais un auteur au restaurant – dans ce cas, il m'arrivait de n'être de retour qu'à quinze heures. «M. Chabanais est en rendez-vous», répondait Mme Petit avec affairement quand quelqu'un me réclamait. À partir de dix-sept heures, l'atmosphère fébrile des Éditions Opale s'apaisait enfin, et l'on pouvait s'atteler aux travaux de fond. Le temps filait, et quand j'avais beaucoup à faire, vingt et une heures sonnaient parfois sans que je m'en rende compte. Aujourd'hui, je décidai de partir plus tôt. La journée m'avait fatigué.

Je coupai le vieux radiateur situé sous la fenêtre, rangeai le manuscrit de Mlle Mirabeau dans ma serviette usée et tirai sur la chaîne en métal couleur laiton qui pendait sous la lampe de bureau vert bouteille.

— Ça suffira pour aujourd'hui, murmurai-je en refermant la porte derrière moi.

Mais, visiblement, la divine providence avait décrété que ma journée n'était pas terminée.

— Excusez-moi, fit la voix qui avait eu raison de mes nerfs, cet après-midi. Pouvez-vous me dire où trouver M. Chabanais ?

Elle se tenait devant moi, comme surgie de nulle part. Simplement, ce n'était pas une vieille dame intraitable de quatre-vingts ans. La propriétaire de « la voix » était une jeune femme mince en manteau de laine marron foncé, chaussée de bottes en daim. Autour de son cou, elle avait enroulé négligemment une écharpe en tricot. Elle fit un pas vers moi, hésitante, et ses cheveux, qui retombaient sur ses épaules, se soulevèrent. Sous le faible éclairage du couloir, ils brillaient comme des fils d'or.

Ses yeux vert foncé me fixaient, interrogateurs.

Nous étions jeudi soir, il n'était pas loin de dix-huit heures trente et j'avais une impression de déjà-vu, que je ne pouvais associer à aucun souvenir pour l'instant.

Je n'avais pas bougé d'un pouce ; je contemplais la silhouette à la chevelure blond foncé comme s'il s'agissait d'une apparition.

— Je cherche M. Chabanais, insista-t-elle. – Puis elle sourit. On aurait dit qu'un rayon de soleil traversait furtivement le couloir. – Vous savez peut-être s'il est encore là ?

Mon Dieu, je connaissais ce sourire ! Je l'avais aperçu, il y avait un an et demi environ. C'est avec ce sourire enchanteur que débutait l'histoire que j'avais écrite.

Les histoires ? Voilà une affaire délicate. D'où les auteurs tirent-ils leurs histoires ? Plongent-ils simplement en eux-mêmes et sont-ils ramenés à la surface par des événements précis ? Les saisissent-ils au vol ? Suivent-ils la destinée de personnes réelles ?

Qu'est-ce qui est vrai, qu'est-ce qui est inventé ? Qu'est-ce qui a vraiment existé, qu'est-ce qui n'a jamais existé ? L'imagination influence-t-elle la réalité, ou la réalité influence-t-elle l'imagination ?

L'illustrateur David Shrigley a dit un jour : «Quand les gens me demandent d'où je tiens mes idées, je leur dis que je ne sais pas. C'est une question stupide. Car si je savais d'où je tiens mes idées, ce ne seraient plus mes idées. Ce seraient les idées d'un autre et je les aurais volées. Les idées viennent de nulle part et surgissent dans votre tête. Peut-être viennent-elles de Dieu ou des puissances obscures ou de tout autre chose.»

Ma théorie, c'est qu'on peut diviser en trois grands groupes ceux qui écrivent des romans et nous racontent quelque chose.

Les uns n'écrivent que sur eux-mêmes – certains d'entre eux font partie des très grands de la littérature.

Les autres ont le talent enviable d'*inventer* des histoires. Ils sont dans le train, ils regardent par la fenêtre et soudain, une idée leur vient.

Et puis, il y a ceux que je qualifierais d'auteurs impressionnistes. Leur don consiste à *trouver* des histoires.

Ils traversent le monde, les yeux grands ouverts, et cueillent des situations, des atmosphères et des scènes, comme on cueille des cerises à un arbre.

Un geste, un sourire, la façon dont quelqu'un repousse ses cheveux ou lace ses chaussures... Ce sont des instantanés derrière lesquels se cachent des histoires.

Ils voient deux amoureux flâner sur les bords de Seine par une douce soirée, et ils se demandent où la vie va les mener. Ils sont dans un café et observent deux amies qui bavardent avec animation. Celles-ci ne savent pas encore que l'une va bientôt tromper l'autre avec son petit ami. Ils s'interrogent : où va la femme aux yeux tristes, assise dans le métro, la tête appuyée contre la vitre ?

Ils font la queue devant la caisse du cinéma et surprennent une discussion incroyablement comique entre la guichetière et un couple très âgé qui réclame une *réduction étudiant* – on ne peut pas inventer mieux ! Ils contemplent la lumière de la pleine lune qui se répand sur la Seine comme une mare d'argent, et leur cœur se remplit de mots.

J'ignore s'il est présomptueux de me définir comme un auteur. J'ai tout de même écrit un roman. Si je me considérais comme tel, je me rangerais sans nul doute dans cette dernière catégorie. Je fais moi aussi partie des personnes qui *trouvent* leurs histoires.

C'est ainsi que j'ai trouvé l'héroïne de mon roman dans un petit restaurant.

Je m'en souviens encore avec précision. Cette soirée-là de printemps, je me promenais seul dans Saint-Germain, les gens étaient déjà assis en terrasse et je longeais une rue que je n'empruntais que rarement. Pour son anniversaire, ma petite amie de l'époque avait envie d'un collier ; elle m'avait parlé avec enthousiasme de la minuscule bijouterie de la créatrice israélienne Michal Negrin, rue Princesse. Peu de temps après, je quittais la boutique avec un paquet aux couleurs surannées, et c'est alors – sans y être le moins du monde préparé – que je l'avais *trouvée* !

Debout derrière la vitre d'un restaurant de la taille d'une salle de séjour, elle s'entretenait avec un client qui, assis à une table couverte d'une nappe à carreaux rouge et blanc, me tournait le dos. Le doux éclairage jaune pâle faisait miroiter ses longs cheveux ondulés, et c'était cette chevelure flottant au moindre de ses mouvements qui avait accroché mon regard, dans un premier temps.

Je m'arrêtai et m'imprégnai de chaque détail. La robe longue toute simple en soie vert foncé, que la jeune femme portait avec le naturel d'une déesse romaine du printemps et dont les larges bretelles dégageaient bras et épaules. Les longs doigts qui s'animaient gracieusement quand elle parlait.

Je la vis porter la main à son cou et jouer avec un collier de perles d'un blanc laiteux, auquel était suspendue une grande gemme ancienne.

Puis, l'espace d'un instant, elle leva les yeux et sourit.

C'était ce sourire qui m'avait ensorcelé et empli de joie, même s'il ne m'était pas destiné. Debout devant la vitre comme un voyeur, je n'osais pas respirer, tant ce moment m'apparaissait parfait.

La porte du restaurant s'ouvrit, des gens sortirent dans la rue en riant, le moment était passé, la belle jeune femme se retourna et disparut, et je repris ma route.

Jamais je n'ai mangé dans le restaurant douillet dont je trouvais le nom si poétique que je me devais de clore mon roman au Temps des cerises.

Mon amie reçut son collier scintillant. Quelque temps plus tard, elle me quittait.

Il me resta le sourire d'une inconnue, qui m'inspirait et me donnait des ailes. Je la baptisai Sophie, la remplis de vie et l'expédiai dans une aventure que j'avais inventée.

Et brusquement, elle se dressait devant moi, et je me demandais, le plus sérieusement du monde, s'il était possible qu'un personnage de roman devienne un être de chair et de sang.

— Monsieur ?

La voix avait pris un ton soucieux, et je me retrouvai dans le couloir des Éditions Opale, devant la porte fermée.

— Excusez-moi, mademoiselle, déclarai-je en m'efforçant de dominer mon trouble. J'étais perdu dans mes pensées. Que disiez-vous ?

— J'aimerais parler à M. Chabanais, si c'est possible, répéta-t-elle.

— Eh bien... vous lui parlez, répondis-je, et sa mine étonnée m'indiqua qu'elle aussi s'était imaginé autrement l'homme qui lui avait raccroché au nez, quelques heures plus tôt.

— Oh, fit-elle, et ses minces sourcils sombres s'arquèrent. C'est *vous* !

Son sourire disparut.

— Oui, c'est moi, confirmai-je un peu sottement.

— Dans ce cas, vous m'avez eue au téléphone cet après-midi. Aurélie Bredin, vous vous souvenez ? J'appelais à propos de la lettre adressée à votre auteur... M. Miller.

Ses yeux vert foncé me fixaient, chargés de reproche.

— Oui, en effet, je m'en souviens.

Elle avait des yeux sacrément beaux.

— Vous devez être surpris que je me présente ici à l'improviste.

Que devais-je lui répondre ? Mon degré de stupéfaction était sans doute mille fois supérieur à ce qu'elle pouvait concevoir. Cela relevait presque du miracle que Sophie, l'héroïne de mon roman, surgisse ici et me pose des questions. Qu'elle soit la femme de cet après-midi, qui voulait obtenir l'adresse d'un auteur (qui n'existait pas !) parce que son livre (mon livre, donc !) lui aurait sauvé la vie. Mais comment aurais-je pu lui expliquer cela ? Moi-même, je ne comprenais plus rien et j'avais l'impression que, d'une minute à l'autre, quelqu'un allait bondir d'un coin, l'air triomphant, et me lancer avec une gaieté forcée, sur fond de rires enregistrés : « C'est pour la caméra cachée ! Souriez, vous êtes filmé ! Ha, ha, ha ! »

Je continuai donc à la contempler, le temps de mettre de l'ordre dans mes pensées.

— Alors... reprit-elle après s'être raclé la gorge. Au téléphone, vous étiez si... – elle fit une petite pause calculée – ... impatient et agité que je me suis dit qu'il valait peut-être mieux que je vienne aux nouvelles en personne.

Formidable, elle n'était pas là depuis cinq minutes qu'elle parlait déjà comme maman ! Je sortis aussitôt de mon état catatonique.

— Écoutez, mademoiselle, j'avais beaucoup de travail à abattre, aujourd'hui. Mais je n'étais *pas* agité ou impatient !

Elle me regarda, pensive, puis elle hocha la tête.

— C'est juste. Pour me montrer honnête, vous étiez plutôt *désagréable*. Je me suis même demandé si tous les éditeurs étaient aussi désagréables ou si c'était votre spécialité, monsieur Chabanais.

Je grimaçai.

— Pas du tout, nous essayons juste de faire notre boulot et il arrive malheureusement que nous soyons dérangés, mademoiselle...

J'avais oublié son nom, une fois de plus.

— Bredin. Aurélie Bredin, fit-elle en me tendant la main et en souriant de nouveau.

Je la saisis et me demandai, dès cet instant, comment m'y prendre pour avoir le droit de tenir cette main (et davantage, si possible) plus longtemps que nécessaire. Puis je la lâchai.

— Quoi qu'il en soit, mademoiselle Bredin, je suis enchanté de faire votre connaissance. Ce n'est pas tous les jours qu'on rencontre des lectrices aussi impliquées.

— Ma lettre est-elle arrivée, entre-temps ?

— Oh, oui ! Bien sûr, mentis-je en hochant la tête. Elle attendait tranquillement dans ma corbeille à courrier.

Que pouvait-il bien se passer ? Soit la lettre se trouvait encore dans ma corbeille, soit elle s'y trouverait demain ou après-demain. Et même si elle ne faisait pas son apparition, le résultat serait le même : ce remarquable courrier de lecteur n'atteindrait jamais son destinataire mais atterrirait, dans le meilleur des cas, au fin fond de mon armoire en acier.

Je souris avec satisfaction.

— Vous pourrez donc la transmettre à Robert Miller, déclara-t-elle.

—Mais bien entendu, mademoiselle Bredin, rassurez-vous. Considérez que votre lettre est déjà entre les mains de l'auteur. Cependant...

—Cependant ? répéta-t-elle, inquiète.

—Cependant, à votre place, je n'attendrais pas trop de ma démarche. Robert Miller est un homme extrêmement réservé, pour ne pas dire *difficile*. Depuis que sa femme l'a quitté, il vit retiré du monde, dans son cottage. Il a reporté tout son amour sur son petit chien... Rocky, fabulai-je.

—Oh... Comme c'est triste.

Je hochai la tête, l'air préoccupé.

—Oui, vraiment très triste. Robert a toujours été un peu spécial, mais à présent... – Je poussai un soupir éloquent. – Nous essayons de le faire venir à Paris pour un entretien avec *Le Figaro*, mais j'ai peu d'espoir.

—C'est étrange, je n'aurais jamais pensé cela. Son roman est tellement... optimiste et plein d'humour, fit-elle, songeuse. Avez-vous déjà rencontré M. Miller en personne ?

Pour la première fois, elle me regardait avec intérêt.

—Ma foi... Je crois pouvoir dire que je suis un des rares qui connaissent *vraiment* Robert Miller. J'ai pas mal travaillé avec lui et il m'apprécie beaucoup.

Elle parut impressionnée.

—C'est un livre formidable. Ah, je donnerais beaucoup pour faire la connaissance de ce Miller ! Vous ne pensez pas qu'il existe une infime chance qu'il me réponde ?

— Que voulez-vous que je vous dise, mademoiselle Bredin ? demandai-je en haussant les épaules. Je serais porté à dire que non, mais je ne suis pas dans le secret des dieux.

Elle se mit à jouer avec les franges de son écharpe.

— Vous voyez... ce n'est pas un courrier de lecteur au sens *propre* du terme. Cela prendrait trop de temps de tout vous expliquer, monsieur Chabanais, sans compter que ça ne vous regarde pas du tout, mais M. Miller m'a aidée à sortir d'une situation difficile et j'aimerais lui exprimer ma reconnaissance, vous comprenez ?

J'opinai du chef. Je n'avais plus qu'une hâte : me précipiter sur ma corbeille pour lire ce que Mlle Aurélie Bredin avait à dire à M. Robert Miller.

— Eh bien, il n'y a plus qu'à attendre, tranchai-je à la manière d'un Salomon. Comme le dit si joliment le poète : « Ne désespérez jamais. Faites infuser davantage. »

Mlle Bredin eut une grimace de désespoir.

— C'est que... je n'aime pas attendre.

— Qui aime attendre ? répliquai-je avec tolérance.

J'avais le sentiment agréable de tenir les rênes bien en main.

Même en rêve, il ne me serait pas venu à l'idée que, quelques semaines plus tard seulement, ce serait moi qui, nerveux et désespéré, attendrais la réponse décisive d'une femme aux yeux vert foncé, furieuse. Une réponse qui devait déterminer la dernière phrase d'un roman. Et toute ma vie !

— Puis-je vous laisser mes coordonnées ? s'enquit Mlle Bredin, avant de sortir de son sac en cuir une carte de visite blanche, ornée de deux cerises. Juste au cas où Robert Miller viendrait quand même à Paris. Ce serait gentil à vous de m'en informer...

Elle me lança un regard de conspiratrice.

— Oui, restons en contact.

Je l'avoue, en cet instant, il n'y avait rien que je souhaitais davantage. Même si, pour des raisons compréhensibles, j'aurais préféré laisser Robert Miller en dehors de tout cela. Franchement, je me mettais déjà à détester ce type. Je pris la carte ; en lisant l'inscription à mi-voix, j'eus beaucoup de mal à cacher ma surprise :

— Le Temps des cerises. Oh... Vous *travaillez* dans ce restaurant ?

— Il *m'appartient*. Vous le connaissez ?

— Euh... non... oui... pas vraiment, bredouillai-je. – Je devais faire attention à ce que je disais. – Est-ce que... Est-ce que ce n'est pas le restaurant qui apparaît dans le roman de Miller ? Quel hasard, dites-moi, ha, ha !

— Si c'est bien un *hasard*...

Elle me regarda, pensive, et pendant un moment, paniqué, je me demandai si elle pouvait savoir quelque chose. Non, c'était impossible ! Totalement impossible ! Personne, à part Adam et moi, ne savait que Robert Miller s'appelait en réalité André Chabanais.

— Au revoir, monsieur Chabanais. – Elle me sourit une nouvelle fois, avant de faire demi-tour pour partir. – Peut-être le découvrirai-je bientôt, avec votre aide.

— Au revoir, mademoiselle Bredin.

Je souris à mon tour, en espérant qu'elle ne le découvre jamais. Et surtout pas avec mon aide.

— Miller. Miller... Miller... Miller. – Penchée devant son ordinateur, Bernadette entra le nom de Robert Miller. – Voyons voir ce que raconte Google.

C'était de nouveau lundi, et le week-end avait été si chargé, au restaurant, que je n'avais pas eu le temps de me consacrer à mon nouveau passe-temps préféré : chercher et trouver Robert Miller.

Le vendredi, nous avions eu deux très grandes tablées – une soirée d'anniversaire, dont les invités avaient beaucoup chanté et trinqué, et un groupe d'hommes d'affaires plus joyeux encore, peut-être, qui donnaient l'impression de célébrer Noël dès le mois de novembre et de ne jamais vouloir partir.

Jacquie avait pesté et sué parce que Paul, son second, était tombé malade et qu'il devait se charger seul des fourneaux.

Mes pensées, elles, m'entraînaient bien loin du Temps des cerises. Elles gravitaient autour d'un Anglais séduisant, qui était peut-être aussi seul que moi.

— Tu te rends compte, sa femme l'a quitté et il ne lui reste plus que son petit chien, avais-je raconté à Bernadette en l'appelant, le dimanche après-midi.

Allongée sur mon canapé, j'avais le livre de Miller en main.

— Ma chérie ! C'est ça, le bal des cœurs solitaires ! On l'a quitté, on t'a quittée. Il aime la cuisine française, tu aimes la cuisine française. Il a écrit sur ton restaurant, et peut-être même sur toi. Je n'ai qu'une chose à dire : bon appétit ! Au fait, il s'est déjà manifesté, ton Anglais triste ?

— Non mais franchement, Bernadette ! avais-je répondu en tassant un coussin sous ma nuque. Premièrement, ce n'est pas *mon* Anglais, deuxièmement, je trouve tous ces *hasards* très troublants, et troisièmement, il ne *peut* pas encore avoir reçu ma lettre. – J'avais repensé à la curieuse conversation qui s'était tenue au siège des Éditions Opale, quelques jours plus tôt. – J'espère juste que ce drôle d'homme barbu va bien expédier mon courrier.

« Ce drôle d'homme barbu », c'était M. Chabanais qui, avec le recul, m'inspirait de moins en moins confiance. Bernadette avait éclaté de rire.

— Il faut toujours que tu te fasses de ces idées, Aurélie ! Donne-moi une raison pour laquelle il devrait garder ta lettre.

Songeuse, j'étudiais la peinture à l'huile du lac Baïkal, accrochée au mur d'en face. Mon père l'avait achetée il y a plusieurs années à un peintre russe, à Oulan-Bator, au cours de son périple à bord du Transsibérien, riche en aventures. C'était une toile vivante et paisible que je ne me lassais pas de contempler. Près de la rive, une vieille barque tanguait sur l'eau ; derrière, le lac d'un bleu impénétrable s'étendait, entouré de marécages. « Ça ne se voit pas comme ça, mais c'est le plus profond du globe », avait commenté mon père.

— Je ne sais pas, avais-je répondu en effleurant du regard le miroir du lac, où la lumière jouait avec les ombres. C'est juste une impression. Peut-être qu'il est jaloux et qu'il veut protéger son sacro-saint auteur de tout le monde. Ou de moi, simplement.

— Aurélie... qu'est-ce que tu racontes ! Tu crois à la théorie du complot ?

Je m'étais redressée.

— Mais non ! Cet homme était *bizarre*. D'abord, au téléphone, il se conduit en vrai cerbère. Ensuite, lorsque je lui adresse la parole, dans le couloir de la maison d'édition, il me regarde fixement comme un malade mental. Au début, il ne réagissait même pas à mes questions, il continuait à me fixer, comme s'il lui manquait une case.

Bernadette avait fait claquer sa langue avec impatience.

— Il était peut-être surpris, c'est tout. Ou il avait eu une dure journée. Enfin, Aurélie, qu'est-ce que tu *espérais* ? Il ne te connaît pas ! Pour commencer, tu lui tiens la jambe au téléphone. Après, tu te pointes le soir à son bureau, sans crier gare, tu agresses le pauvre homme qui veut rentrer chez lui et tu lui demandes des nouvelles d'une lettre qui est, à ses yeux, un courrier quelconque d'une quelconque chasseuse d'autographes surexcitée qui se prend trop au sérieux. Tu vois, je suis surprise qu'il ne t'ait pas mise à la porte. Tu imagines, si tous les lecteurs prenaient la maison d'édition d'assaut pour s'assurer en personne que leur courrier sera bien remis à tel ou tel auteur ? Pour ma part, je *déteste* que des parents se présentent à l'improviste, après les cours, pour discuter dans les moindres détails des raisons pour lesquelles leur merveilleux enfant a écopé d'une punition.

Sa réflexion m'avait fait rire.

— Bon, très bien. Je suis quand même heureuse d'avoir pu parler avec cet éditeur.

— Tu peux. Après tout, M. Cerbère s'est entretenu bien gentiment avec toi.

— Seulement pour me faire comprendre que l'auteur ne me donnerait pas signe de vie parce qu'il fuit son prochain, qu'il se terre dans son cottage, amer, et qu'il n'a pas de temps pour ce genre de plaisanterie, avais-je objecté.

— Mais il va te prévenir si Robert Miller vient à Paris, avait poursuivi Bernadette, impassible. Que te faut-il de plus, Mademoiselle-Je-n'en-ai-jamais-assez ?

Oui, que me fallait-il de plus ?

Je voulais en apprendre davantage sur cet Anglais qui avait l'air tellement sympathique et écrivait des choses si fantastiques, et c'était la raison pour laquelle, ce lundi matin-là, une semaine après que tout eut commencé, j'étais assise avec Bernadette devant le moteur de recherche.

— Je suis tellement contente que tu n'enseignes pas le lundi et qu'on puisse se retrouver, déclarai-je, et un sentiment de gratitude m'envahit en voyant mon amie débusquer pour moi tous les Miller de ce monde, concentrée.

— Hm... hm, fit Bernadette. – Captivée par ce qui apparaissait à l'écran, elle glissa une mèche blonde derrière son oreille. – Zut, j'ai fait une faute de frappe... Non, pas Niller, M-i-l-l-e-r !

— Tu sais, je ne peux jamais prévoir de rendez-vous le soir comme la plupart des gens, je suis coincée au restaurant. – Je me penchai vers elle pour distinguer quelque chose. – Remarque... maintenant que Claude est parti, ce n'est pas plus mal d'être occupée, à ces moments-là. Les soirées d'hiver peuvent être très solitaires.

— Si tu veux, on se fait une toile ce soir. Émile est à la maison et je peux facilement m'absenter. Au fait, tu as des nouvelles de Claude ? demanda Bernadette sans transition.

Je secouai la tête et lui fus reconnaissante d'avoir juste dit « Claude », cette fois.

— Je ne m'attendais pas à mieux de la part de cet idiot, grogna-t-elle en fronçant les sourcils. C'est inconcevable de disparaître comme ça. – Puis sa voix s'adoucit à nouveau. – Il te manque ?

— Eh bien... – J'étais moi-même étonnée de constater à quel point mon état d'esprit s'était amélioré depuis ce triste jour où j'avais erré à travers Paris. – La nuit, ça fait drôle d'être couchée seule dans le lit. – Je réfléchis un moment. – C'est bizarre que, brusquement, il n'y ait plus personne pour te serrer dans ses bras.

Pour une fois, Bernadette fit preuve d'une grande empathie.

— Oui... j'imagine, dit-elle, sans ajouter immédiatement que cela ne revenait pas au même, selon que c'était un homme gentil ou un idiot qui vous serrait dans ses bras. Mais qui sait ce qui t'attend ? – Elle m'adressa un clin d'œil. – Depuis, tu t'es trouvé un magnifique dérivatif. Ça y est, on le tient : Robert Miller – douze millions deux cent mille résultats. Qui aurait pu prévoir ça ?

— Oh, non ! m'exclamai-je en regardant l'écran, incrédule. Je rêve !

Bernadette cliqua sur quelques liens, au hasard.

— Robert Miller, art contemporain. – L'ordinateur chargea un tableau carré, composé de bandes de différentes couleurs. – Oh, vraiment *très* contemporain ! – Elle revint en arrière. – Et qu'est-ce qu'on a ici ? Rob Miller, *rugby union player*, oh là là, quel sportif ! – Elle fit défiler la page. – Robert Talbott Miller, agent américain, espion pour l'Union soviétique... Bon, ça ne peut pas être lui, il a déjà rendu l'âme. – Elle se mit à rire ; apparemment, ces recherches commençaient à l'amuser. – Waouh ! Robert Miller, deux cent vingt-quatrième fortune mondiale ! Tu es sûre que tu ne veux pas changer d'avis, Aurélie ?

— Ce n'est pas comme ça qu'on va avancer. Il faut que tu tapes « Robert Miller écrivain ».

Certes, « Robert Miller écrivain » ne donnait plus que six cent cinquante mille résultats, mais cela relevait toujours du défi de dénicher le bon.

— Tu ne pouvais pas te trouver un auteur avec un nom un peu moins courant ? demanda Bernadette en parcourant la première page qui s'était ouverte.

Il y avait de tout – un homme qui rédigeait des ouvrages sur le dressage des chevaux, un maître de conférences qui avait publié un essai sur les colonies britanniques chez Oxford University Press, et même un auteur anglais à l'apparence vraiment effrayante, qui avait commis un livre sur la guerre des Boers.

— Ça ne peut pas être lui, si ? fit Bernadette en indiquant la photo.

Je secouai la tête avec véhémence.

— Non, pour l'amour du ciel !

— Il faut procéder autrement, décida Bernadette. Redis-moi le titre du roman.

— *Le Sourire des femmes*.

— Bien... bien... bien. – Ses doigts remuèrent sur le clavier. – Aha ! Je l'ai : Robert Miller, *Le Sourire des femmes* ! – Elle eut un sourire triomphant et je retins mon souffle. – Robert Miller aux Éditions Opale... Ah, zut, on accède seulement au site de leur maison... Et là... c'est la page d'Amazon, mais juste pour la version française... Bizarre, on devrait trouver quelque part l'original anglais. – Elle pressa de nouveau quelques touches, puis secoua la tête. – Rien à faire. Je ne trouve plus que des informations sur *Le Sourire au pied de l'échelle* d'Henry Miller – un bon livre, soit dit en passant, mais ce n'est clairement pas notre homme.

Elle se tapota les lèvres de l'index, songeuse.

— Aucun lien vers un site Internet, aucun profil Facebook... Mister Miller demeure une énigme, sur le Web, du moins. Il est peut-être tellement *old fashioned* qu'il est réfractaire aux nouvelles technologies, va savoir. C'est quand même curieux que je ne puisse pas trouver le bouquin anglais. – Elle referma son ordinateur et me regarda. – Dans ces conditions, j'ai peur de ne pas pouvoir t'aider.

Je m'appuyai au dossier, déçue. Dire qu'on prétendait que, de nos jours, on pouvait tout trouver avec Internet !

— Et maintenant ? demandai-je.

— Maintenant, on se prépare une petite salade au chèvre, ou plutôt, *tu* nous prépares une petite salade au chèvre. Il doit bien y avoir une raison profonde au fait que j'aie une cuisinière pour amie, tu ne crois pas ?

— Tu n'as pas d'autre idée brillante ? soupirai-je.

— Si. Pourquoi ne pas appeler M. Cerbère et lui demander si Robert Miller a un site Internet, et pourquoi l'édition anglaise de son roman n'est mentionnée nulle part ?

Elle quitta son bureau et se rendit dans la cuisine.

— Non, ne l'appelle pas ! s'exclama-t-elle en ouvrant le réfrigérateur. Envoie plutôt un mail au pauvre homme.

— Je n'ai pas son adresse, répliquai-je, maussade.

Je suivis Bernadette dans la cuisine. Elle referma le réfrigérateur et me mit une tête de feuilles de chêne dans la main.

— Ma chérie, ce n'est vraiment pas un problème.

Contrariée, je fixais la salade qui n'y pouvait rien non plus. Bernadette avait raison. De toute évidence, ce ne serait pas un problème d'obtenir les adresses mail de personnes aussi quelconques qu'André Chabanais, éditeur aux Éditions Opale.

— Alors comme ça, vous trouvez ça bizarre, mur-murai-je en étudiant une fois de plus le mail que j'avais imprimé au bureau, cet après-midi. Ma chère mademoiselle Aurélie, tout ceci est plus que bizarre.

Je mis le mail de côté avec un soupir et repris la lettre, que je connaissais déjà par cœur et qui me plaisait nettement plus que cette requête peu amène et moins charmante.

Les choses commençaient à se compliquer, pour-tant, je ne pouvais m'empêcher de m'étonner qu'une seule et même personne soit capable de rédiger des courriers aussi différents. Je m'enfonçai dans mon vieux fauteuil en cuir, allumai une cigarette et laissai tomber négligemment la pochette d'allumettes des Deux Magots sur la table d'appoint.

J'avais déjà essayé plusieurs fois d'arrêter de fumer – la dernière, c'était après la Foire du livre de Francfort, alors que le stress maximum semblait derrière moi et que ma vie reprenait un cours plus tranquille.

Depuis trois ans, Carmencita, une femme au tempérament fougueux, responsable des cessions de droits étrangers dans une maison d'édition portugaise, jouait de ses prunelles noires à chacun de nos rendez-vous. Cette fois, elle m'avait invité à dîner, puis dans son hôtel. Le lendemain matin, je lui avais signifié que, pour l'instant, j'avais atteint mon quota de femmes à qui je pouvais offrir des colliers. Lorsque Carmencita avait fini par battre en retraite, boudeuse (non sans m'avoir arraché la promesse que je lui paierais le restaurant, la fois suivante), j'avais pensé que la plus grande des gageures pour le reste de l'année consisterait à venir à bout de tous les manuscrits que j'avais sollicités, dans l'euphorie de la foire.

Mais depuis mardi dernier, les petits paquets bleus nocifs m'escortaient de nouveau en permanence.

J'avais fumé les cinq premières cigarettes en attendant qu'Adam me rappelle. Jeudi, après qu'il eut enfin donné signe de vie, j'avais rangé mes clopes dans le tiroir supérieur de mon bureau, et décidé d'oublier leur existence. Puis, le soir, cette jeune femme aux yeux verts avait surgi, comme tombée du ciel, et je m'étais senti complètement chamboulé. Je me trouvais dans un beau rêve qui tenait également du cauchemar. S'il fallait que je me débarrasse de l'obstinée Mlle Bredin avant qu'elle ne découvre la vérité sur Robert Miller, je désirais plus que tout revoir la femme au sourire enchanteur.

Après que Mlle Bredin eut disparu au bout du couloir, j'avais allumé une cigarette. Puis je m'étais précipité dans le secrétariat où Mme Petit régnait pendant la journée, et j'avais farfouillé dans ma corbeille en plastique vert dont j'avais extrait une longue enveloppe blanche, adressée à « l'écrivain Robert Miller ». J'avais entrebâillé la porte et tendu l'oreille – pas question que mademoiselle revienne et me surprenne en train de lire le courrier d'un autre –, puis j'avais ouvert précipitamment, sans me servir du coupe-papier, cette lettre manuscrite qui m'accompagnait un peu partout dans mon appartement, depuis quelques jours, et que je n'avais cessé de relire.

Paris, novembre 20**

Dear Robert Miller !

Vous m'avez empêchée de dormir, cette nuit, et je voudrais vous en remercier ! Je viens de lire votre livre « Le Sourire des femmes ». Lire ? J'ai dévoré ce merveilleux roman que j'ai trouvé par hasard dans une petite librairie, hier soir seulement (alors que je fuyais plus ou moins la police). Ce que je veux dire par là, c'est que je ne cherchais pas votre livre. Ma grande passion, c'est la cuisine, pas la lecture. Normalement. Pourtant, votre livre m'a charmée, enthousiasmée, il m'a fait rire ; il est à la fois très léger et empreint d'une grande sagesse. En un mot comme en cent : votre livre m'a rendue heureuse un jour où j'étais malheureuse comme jamais (chagrin d'amour, spleen), et le fait que j'aie trouvé votre livre à ce moment précis (à moins que ce ne soit votre livre qui m'ait trouvée ?) est pour moi un signe du destin.

Cela vous semblera peut-être étrange, mais en lisant la première ligne, je pressentais déjà que ce roman revêtirait pour moi une importance particulière. Je ne crois pas aux hasards.

Cher monsieur Miller, avant que vous ne pensiez que vous avez affaire à une folle, vous devriez savoir plusieurs choses.

Le Temps des cerises, que vous décrivez si chaleureusement, c'est mon restaurant. Et votre Sophie – c'est moi. La ressemblance est frappante, en tout cas, et si vous regardez la photo que j'ai jointe, vous comprendrez ce que je veux dire.

Je ne sais pas comment tous ces faits sont liés, mais je me demande si nous nous sommes déjà rencontrés sans que je ne puisse m'en souvenir. Vous êtes un auteur anglais à succès, je suis une cuisinière française propriétaire d'un restaurant confidentiel à Paris – comment nos chemins ont-ils pu se croiser ?

Je n'arrête pas de penser à tous ces «hasards», qui ne peuvent pas être des hasards.

Je vous écris dans l'espoir que vous aurez une explication pour moi. Je n'ai malheureusement pas votre adresse et je ne peux vous contacter que par l'intermédiaire de votre maison d'édition.

Ce serait pour moi un honneur d'inviter l'homme qui écrit de tels livres, et auquel je dois tant, à un repas au Temps des cerises, préparé par mes soins.

Si j'en crois votre biographie (et votre roman), vous aimez Paris, et je pense que vous devez être ici très souvent. J'aimerais tellement que nous ayons l'occasion de faire connaissance ! Et de résoudre certaines énigmes.

J'imagine bien que vous avez reçu beaucoup de courriers enthousiastes depuis que votre roman a paru, et je suis également consciente du fait que vous n'avez pas le temps de répondre à chacun de vos lecteurs. Mais je ne suis pas n'importe quelle lectrice, il faut me croire. «Le Sourire des femmes» est pour moi un livre très spécial, placé sous le sceau du destin même. Et c'est avec un mélange de profonde gratitude, de stupéfaction et d'impatience curieuse que je vous envoie cette lettre.

Recevoir une réponse de votre part me ferait terriblement plaisir, et je souhaite, plus que tout au monde, que vous acceptiez mon invitation à dîner au Temps des cerises.

Très chaleureusement,
votre Aurélie Bredin

P.-S. : C'est la première fois que j'écris à un auteur. Il n'est pas non plus dans mes habitudes d'inviter des inconnus à dîner, mais je pense que, m'adressant à un gentleman anglais, ma lettre est en bonnes mains.

Après avoir lu ce courrier, je m'étais laissé tomber sur la chaise de Mme Petit et j'avais fumé une autre cigarette.

Je dois avouer qu'à la place de Robert Miller, je me serais estimé chanceux. Je n'aurais pas hésité une seconde et j'aurais répondu à cette lettre, qui était tellement plus qu'un courrier de lecteur lambda. J'aurais très volontiers accepté l'invitation de la belle cuisinière dans son petit restaurant pour un dîner à deux, et plus si affinités.

Mais je n'étais qu'André Chabanais, un éditeur moyen, sorti d'on ne sait où, qui *faisait* comme s'il était Robert Miller. Ce remarquable écrivain, drôle et pourtant profond, qui savait parler au cœur des jolies femmes malheureuses.

Je tirais sur ma cigarette en examinant dans le détail la photo qu'Aurélie Bredin avait jointe. Elle portait cette robe verte (c'était apparemment une de ses préférées), ses cheveux retombaient librement sur ses épaules et elle souriait face à l'objectif, l'air amoureux.

Une fois de plus, ce sourire ne m'était pas destiné. Quand le cliché avait été pris, elle souriait à Dieu sait qui, probablement au type qui allait lui briser le cœur (*chagrin d'amour, spleen*). Et lorsqu'elle l'avait glissé dans l'enveloppe, elle l'avait fait à l'adresse de Robert Miller. Si elle avait su que ce serait moi (et pas son gentleman anglais) qui me hâterais de faire disparaître sa photo dans mon portefeuille, elle n'aurait plus souri de façon aussi charmante, j'en étais persuadé.

J'avais écrasé ma cigarette, jeté le mégot dans la corbeille à papier et mis la lettre et son enveloppe dans ma serviette.

Alors que je quittais enfin la maison d'édition après cette journée riche en événements, j'avais vu venir à ma rencontre, riant et jacassant, les employés philippins qui nettoyaient les bureaux et vidaient les poubelles, le soir.

— Oooh, missiou Zabanais, touyou taavaaille beaucoup ! s'étaient-ils exclamés en hochant la tête d'un air de regret.

J'avais également hoché la tête, l'esprit ailleurs. Il était plus que temps de rentrer à la maison. Il faisait froid, mais il ne pleuvait pas. En descendant la rue Bonaparte, je me demandais pourquoi, au juste, Mlle Bredin fuyait la police. Elle n'avait pas vraiment l'air de quelqu'un capable de faucher un tee-shirt au Monoprix. Et que signifiait « plus ou moins », dans ce contexte ? La propriétaire du Temps des cerises avait-elle fraudé le fisc ? Ou s'était-elle réfugiée dans cette librairie, où elle avait par bonheur trouvé mon livre, pour échapper à ce policier, peut-être son ami – un flic violent avec qui elle avait eu une dispute terrible et qui la pourchassait ?

La question essentielle ne m'était venue à l'esprit qu'en tapant le code qui commandait l'ouverture de la porte de mon immeuble, rue des Beaux-Arts.

Comment gagnait-on le cœur d'une femme qui s'était mis en tête de faire la connaissance d'un homme qu'elle admirait et auquel elle pensait être liée par le destin ? Un homme qui, ironie du sort, n'existait pas – ou plutôt, un génie dont on ne pouvait plus se défaire, invoqué par deux apprentis sorciers imaginatifs qui se croyaient très malins et travaillaient dans un secteur qui vendait du rêve.

Si j'avais lu cette histoire dans un roman, je me serais énormément amusé. Mais quand on devait jouer le rôle du héros comique, cela devenait nettement moins drôle.

J'avais poussé la porte de mon appartement et allumé la lumière. Il me fallait une idée de génie (qui me faisait hélas défaut pour l'instant). Ce que je savais, en revanche, c'est que Robert Miller, ce parfait gentleman anglais avec son cottage stupide, qui écrivait avec tant d'esprit et d'humour, ne dînerait jamais avec Aurélie Bredin. À l'inverse, peut-être, d'un très gentil Français qui louait un appartement rue des Beaux-Arts – si je m'y prenais adroitement.

Quelques minutes plus tard, ce très gentil Français écoutait son répondeur, qui avait enregistré un message réprobateur de sa mère, le sommant de décrocher.

« André ? Je sais que tu es chez toi, mon petit chou, pourquoi tu ne réponds pas ? Tu viens déjeuner dimanche ? Tu pourrais t'occuper un peu de ta vieille mère, je m'ennuie, qu'est-ce que tu veux que je fasse toute la journée, je ne peux pas passer mon temps à lire », geignait-elle, et j'avais palpé nerveusement la poche de ma veste où se trouvait mon paquet de cigarettes.

Puis la voix d'Adam s'était fait entendre.

«*Hi*, Andy, c'est moi ! Alors, tout est *okey-dokey* ? Dis donc, mon frère assiste à un congrès de dentistes à Sant'Angelo, il ne rentre que dimanche soir. Ha, ha, ha ! Ils ont une de ces vies, ces médecins, pas vrai ? »

Il riait avec insouciance, et je m'étais demandé s'il avait saisi que le temps passait. Son frère n'avait-il pas de portable ? N'y avait-il aucun téléphone dans ce Sant'Angelo (où que se trouve ce patelin) ? Que se passait-il ?

«J'ai pensé qu'il valait peut-être mieux que j'appelle Sam quand il sera de retour chez lui et qu'il aura l'esprit libre, poursuivait Adam, repoussant d'emblée toute explication. *Anyway*, je te ferai signe quand je lui aurai parlé, on est chez des amis à Brighton ce week-end, mais tu peux me joindre sur mon portable comme toujours. »

— Oui, oui, bien sûr, sur ton portable comme toujours, avais-je répété tout haut en allumant une nouvelle cigarette.

«Bon, salut... Au fait, André ? »

J'avais relevé la tête.

«Ne fais pas dans ton froc, mon ami. On va se débrouiller pour faire venir Sam à Paris. »

J'avais hoché la tête, résigné, et j'étais allé dans la cuisine pour voir ce que le réfrigérateur avait à me proposer. Le butin de ma fouille n'était pas mauvais du tout. J'avais trouvé un sachet de haricots verts frais, que j'avais fait cuire brièvement dans de l'eau salée, et je m'étais grillé un gros steak.

Après avoir mangé, je m'étais installé à la table ronde du séjour avec un verre de côtes-du-rhône et une feuille de papier, et je m'étais penché sur ma stratégie relative à Aurélie Bredin = A. B. Deux heures plus tard, j'avais accouché des réflexions suivantes :

1. Robert Miller ignore la lettre et ne répond *pas*. → Dans un premier temps, A. B. va sans doute s'adresser à son contact dans la maison d'édition pour savoir ce qui se passe. André Chabanais = A. C. dit que l'auteur ne souhaite aucun contact. A. C. ne donne pas plus d'informations → A. B. se tape la tête contre les murs et finit par se désintéresser de lui → Elle ne s'intéresse plus non plus à A. C. comme intermédiaire possible.

2. Robert Miller ne répond pas à la lettre, mais A. C. offre son aide → Il se fait apprécier d'A. B. Mais les pensées d'A. B. s'orientent dans la mauvaise direction, se concentrent sur l'auteur, pas sur l'éditeur. Peut-il vraiment l'aider en fin de compte ? Non. Car Robert Miller n'existe pas. → A. C. doit gagner du temps pour montrer à A. B. qu'il est un chic type. (Et, au passage, que l'Anglais est en réalité un crétin !)

3. Robert Miller fait une réponse gentille, mais assez vague. → La flamme est entretenue. L'auteur renvoie A. B. vers son merveilleux éditeur (A. C.) et suscite l'espoir qu'il pourrait se rendre à Paris dans futur proche, mais ne sait pas si rencontre possible, car trop de rendez-vous.

4. A. C. arrange quelque chose. Demande à A, B. si elle veut se joindre à un rendez-vous qu'il a avec Miller (un dîner ?) → Elle veut *et* lui est reconnaissante. Naturellement, aucun auteur ne vient, il « annule » au dernier moment → A. B. est en rogne contre l'auteur. A. C. dit qu'il est malheureusement peu fiable → A. B. et A. C. passent une soirée de rêve et A. B. remarque qu'elle préfère nettement éditeur sympathique à auteur compliqué.

J'avais hoché la tête avec satisfaction en relisant le point 4. Ce n'était pas une mauvaise idée pour commencer. Le temps montrerait si elle était vraiment géniale. Il restait toutefois quelques questions ouvertes :

1. Aurélie Bredin valait-elle toute cette mise en scène ? *Oui, quelle question !*

2. Pourrait-elle apprendre un jour la vérité ? *Non, pas question !*

3. Que se passerait-il si Sam Goldberg venait vraiment à Paris en tant que Robert Miller, pour donner une interview ou une lecture, et que A. B. le découvrait ?

À cette heure avancée, et malgré la meilleure volonté du monde, je n'avais pas trouvé la moindre réponse à cette dernière question. Je m'étais levé, j'avais vidé le cendrier (cinq cigarettes) et éteint la lumière. J'étais crevé, et pour l'instant, la question la plus pressante était plutôt de savoir ce qui se passerait si Robert Miller ne venait *pas* à Paris.

Vendredi matin, quand j'étais arrivé, M. Monsignac m'attendait déjà dans mon bureau.

— Ah, mon cher André, vous voilà enfin, bonjour, bonjour ! s'était-il écrié en se balançant d'avant en arrière sur ses pieds, plein d'entrain. J'ai posé sur votre bureau le manuscrit d'une jeune et très jolie auteure – c'est la fille du dernier lauréat du Goncourt, un très bon ami. Exceptionnellement, je vous demanderai de regarder ça *rapidement*.

J'avais ôté mon écharpe et hoché la tête. Depuis que je travaillais aux Éditions Opale, il n'était jamais arrivé que M. Monsignac ne veuille pas un retour rapide. J'avais jeté un coup d'œil sur le manuscrit de la fille du prix Goncourt. Glissé dans une chemise transparente, il portait un titre élégiaque : *Confessions d'une fille triste.* Il y avait tout au plus cent cinquante pages, et il suffisait probablement d'en lire cinq pour être dégoûté de l'habituelle introspection narcissique qu'on vous servait si souvent, de nos jours, comme étant de la littérature.

— Pas de problème, je vous tiens au courant d'ici midi, avais-je déclaré en accrochant mon manteau dans l'étroite armoire, près de la porte.

Monsignac tambourinait des doigts sur sa chemise à rayures bleu et blanc. Il n'était pas vraiment petit, mais il faisait tout de même deux têtes de moins que moi et il était nettement plus corpulent. Malgré sa stature, il savait s'habiller. Il détestait les cravates, portait des chaussures faites main et des foulards à motifs en cachemire, et donnait une impression de grande agilité et de vivacité, en dépit de son embonpoint.

— Fantastique, André. Vous savez, c'est ce qui me plaît tant chez vous. Vous êtes terriblement modeste. Vous ne faites pas de grandes phrases ronflantes, vous ne posez pas de questions superflues, vous *agissez* et c'est tout. – Il m'avait tapé sur l'épaule. – Vous irez loin. – Il m'avait fait un clin d'œil en tapotant le manuscrit. – Si ce sont des âneries, contentez-vous de rédiger quelques phrases constructives sur le contenu, vous voyez ce que je veux dire – il y a beaucoup de potentiel, on attend avec impatience le prochain texte de l'auteure, etc. –, et refusez-le en douceur.

J'avais réprimé un sourire. Puis, au moment de sortir, Monsignac s'était retourné et avait prononcé les mots que j'attendais depuis le début :

— Sinon ? Tout va bien avec Robert Miller ?

— Je suis en discussion avec son agent, Adam Goldberg, qui se montre très confiant.

Le vieil Orban (tombé récemment de l'arbre en cueillant des cerises) m'avait jadis donné un conseil. « Quand tu mens, reste au plus près de la vérité, mon garçon », m'avait-il confié, par une belle journée d'été, alors que j'avais séché l'école et que je voulais servir à ma mère une histoire tirée par les cheveux. « Comme ça, il y aura des chances qu'on te croie. »

— Il dit qu'on aura Miller, avais-je poursuivi résolument, et mon pouls avait accéléré. Au fond, il ne reste plus qu'à régler... euh... les derniers détails. Je pense que j'aurai plus de précisions lundi.

— Bien... bien... bien.

Jean-Paul Monsignac avait franchi le pas de la porte, satisfait, et j'avais fouillé dans ma poche. Après avoir absorbé une petite dose de nicotine (trois cigarettes), j'avais commencé à me calmer. J'avais ouvert la fenêtre toute grande pour laisser entrer l'air pur.

Le manuscrit me faisait penser à du Françoise Sagan pour les nécessiteux. Hormis le fait que la jeune femme, qui ne sait pas bien ce qu'elle veut au juste (et dont le père est un écrivain célèbre), part en vacances sur une île des Caraïbes et nous relate ses expériences sexuelles avec un autochtone noir (défoncé la plupart du temps), il n'y avait pas d'intrigue digne de ce nom. Un paragraphe sur deux décrivait les états d'âme de l'héroïne, qui n'intéressaient personne, pas même son amant caribéen. À la fin, la jeune femme s'en va, sa vie ressemble toujours à un immense point d'interrogation et elle ne sait pas pourquoi elle est si triste.

Je ne le savais pas non plus. Si, jeune homme, j'avais eu la possibilité de séjourner pendant huit semaines incroyables sur une île de rêve, et de prendre mes aises sur des plages de sable blanc avec une beauté caribéenne, dans toutes les positions, je n'aurais pas été mélancolique, mais plutôt ivre de bonheur. Peut-être me manquait-il la profondeur nécessaire.

J'avais formulé un refus prudent et fait une copie pour M. Monsignac. À midi, Mme Petit m'avait apporté le courrier et demandé, méfiante, si j'avais fumé.

Je l'avais regardée et j'avais levé les mains, l'air innocent.

— Vous *avez* fumé, monsieur Chabanais, avait-elle déclaré, avant de remarquer le cendrier posé sur mon bureau, derrière ma corbeille. Vous avez même fumé dans *mon* bureau, je l'ai bien senti en entrant ce matin. – Elle avait secoué la tête avec réprobation. – Ne recommencez pas, monsieur Chabanais, c'est très mauvais pour la santé, vous le savez !

Oui, oui, oui, je savais tout. Fumer était mauvais pour la santé. Manger était mauvais pour la santé. Boire était mauvais pour la santé. Tous les plaisirs de la vie devenaient mauvais pour la santé ou faisaient grossir, un jour ou l'autre. Trop d'émotions fortes était mauvais pour la santé. Trop de travail était mauvais pour la santé. La vie tout entière n'était qu'un exercice périlleux sur la corde raide, et au bout du compte, on tombait de son échelle en cueillant des cerises ou on se faisait écraser par une voiture en se rendant chez son boulanger, comme la concierge du roman *L'Élégance du hérisson*.

J'avais hoché la tête, muet. Que pouvais-je dire ? Elle avait raison. Après que Mme Petit eut quitté la pièce en trombe, j'avais tapoté mon paquet pour en faire sortir une autre cigarette, songeur, avant de m'adosser à mon fauteuil. Quelques secondes plus tard, je regardais les volutes de fumée se dissiper lentement.

Depuis que Mme Petit avait failli me prendre en flagrant délit de tabagisme au bureau, d'autres événements préoccupants avaient menacé mon hygiène de vie. Le moment le moins sain et le moins palpitant avait encore été le déjeuner de dimanche chez ma mère, à Neuilly – je ne me risquerais pas à affirmer qu'une assiette débordant de chou cuit, de viande de porc grasse et de saucisses soit la meilleure des nourritures qu'on puisse fournir à son corps (la mère de ma mère était originaire d'Alsace, si bien que la choucroute est pour elle un must). Quant à la « surprise » que ma mère m'avait annoncée au téléphone, il s'agissait de la présence de sa sœur toujours souffrante et de sa cousine préférée (pas *ma* cousine préférée), sourde comme un pot. La choucroute me pesait sur l'estomac telle une pierre et les trois vieilles dames, qui s'adressaient à un homme mûr de trente-huit ans et un mètre quatre-vingt-cinq en alternant les « mon petit boubou » et les « mon petit chou », m'avaient rendu dingue. À part cela, tout s'était déroulé comme toujours, mais puissance trois mille.

On m'avait demandé si j'avais maigri (non !), si je comptais bientôt me marier (dès que la bonne se présenterait), si maman pouvait encore espérer avoir un jour un petit-fils, qu'elle gaverait ensuite de choucroute (mais bien sûr, je m'en réjouissais à l'avance), si tout allait bien à mon travail (oui, tout allait pour le mieux). Entre les deux, on m'avait invité encore et encore à « en reprendre un peu » ou à raconter ce qu'il y avait de neuf.

— Quoi de neuf, André, raconte !

Trois paires d'yeux me fixaient, pleines d'espoir. Cette question était toujours pénible. Comme je ne pouvais pas mentionner les véritables nouveautés dans ma vie (quelqu'un à cette table aurait-il compris que j'étais extrêmement nerveux parce que j'avais endossé une seconde identité d'auteur anglais et que je pouvais être démasqué ?), j'avais fait du remplissage en évoquant la rupture récente d'un tuyau d'eau dans mon appartement, et c'était bien suffisant, car la faculté de concentration du trio était réduite (peut-être aussi mon récit n'était-il pas passionnant). Toujours est-il que j'avais bientôt été interrompu par le tonitruant « *Qui* est mort ? » de la cousine dure d'oreille (au cours du déjeuner, elle devait prononcer cette phrase à six reprises, chaque fois qu'elle n'était plus en mesure de suivre la discussion) et qu'on avait abordé des sujets plus intéressants (phlébites, visites chez le médecin, rénovations de maisons, jardiniers ou femmes de ménage négligents, concerts de Noël, enterrements, jeux-concours, destins de voisins qui m'étaient inconnus et de personnages du passé le plus reculé), avant l'entrée en scène du fromage et des fruits.

À ce stade du repas, nous étions tellement à bout, mon estomac et moi, que je m'étais absenté pour aller fumer dans le jardin (trois cigarettes).

Dans la nuit de dimanche à lundi, bien qu'ayant pris trois comprimés contre les aigreurs (les fromages m'avaient porté le coup de grâce), je m'étais tourné et retourné dans mon lit. J'avais fait des cauchemars affreux dans lesquels le frère d'Adam, le séduisant auteur de best-seller, couché sur une table d'examen de son cabinet high-tech, étreignait en gémissant une Mlle Bredin à moitié dévêtue, tandis que j'étais cloué dans un fauteuil (gémissant, moi aussi) et qu'une assistante m'arrachait les dents.

Lorsque je m'étais réveillé, baigné de sueur, j'étais si lessivé que je me serais volontiers mis à fumer.

Mais tout ceci était une vraie partie de plaisir, comparé aux émotions fortes que le lundi me réservait.

Tôt ce matin-là, Adam avait appelé au bureau pour m'informer que son frère, d'abord quelque peu récalcitrant, avait saisi le caractère explosif du cas Miller. Exceptionnellement, il était disposé à jouer le jeu. (« *He took it like a man* », avait commenté Adam avec bonne humeur.)

Néanmoins, les connaissances de Sam en matière de français et de voitures anciennes avaient leurs limites, et c'était tout sauf un lecteur passionné.

— Ma foi, je crains qu'on ne doive le mettre au parfum d'ici là, avait déclaré Adam. Pour la lecture, tu pourras lui préparer les passages choisis, il n'aura plus qu'à s'exercer.

Quant à la barbe, il fallait encore qu'Adam fasse preuve d'un peu de persuasion pour que Sam se rase.

Je tirai nerveusement sur le col roulé de mon pull, qui me serrait brusquement la gorge. J'avais fait remarquer à Adam qu'il serait dans notre intérêt que *Robert Miller* ressemble à Robert Miller (sur la photo) et que le *dentiste* ressemble au dentiste. Toute l'affaire était déjà assez compliquée comme cela.

— Oui, bien sûr, avait répondu Adam, je vais faire ce que je peux.

Puis il avait ajouté quelque chose qui m'avait poussé à m'emparer aussitôt de mon paquet de cigarettes :

— Au fait, Sam aimerait bien venir dès lundi en quinze, c'est-à-dire qu'il ne *peut* venir qu'à ce moment-là.

Je m'étais mis à fumer aussi vite que possible.

— Tu as perdu la tête ? avais-je crié. Comment veux-tu qu'on s'en tire ?

La porte du bureau s'était ouverte doucement ; Mlle Mirabeau s'était arrêtée sur le seuil, l'air interrogateur, une chemise transparente dans les mains.

— *Pas maintenant !* m'étais-je exclamé, à bout de nerfs, en agitant la main. Ne me regardez pas bêtement, bonté divine, vous *voyez* bien que je téléphone !

Elle m'avait fixé, effrayée. Sa lèvre inférieure s'était mise à trembler, et la porte s'était refermée aussi doucement qu'elle s'était ouverte.

— Il n'arrive pas *tout de suite* non plus, avait insisté Adam sur un ton apaisant. Lundi en quinze, ça serait parfait. Je ferais le voyage avec Sam le dimanche, et on aurait encore le temps de se concerter tranquillement.

— Parfait, parfait... avais-je grogné. C'est déjà dans deux semaines ! Et ça se prépare. Je me demande comment on va y arriver.

— *It's now or never*, avait répliqué brièvement Adam. Tu devrais un peu te réjouir que ça fonctionne.

— Je me réjouis comme un dingue. Heureusement que ce n'est pas pour demain.

— Où est le problème ? *Le Figaro* est déjà dans les starting-blocks, si j'ai bien compris. Et, en ce qui concerne la lecture, il vaut probablement mieux la limiter à un cercle restreint. À moins que tu ne préfères qu'elle se tienne à la Fnac ?

— Non, bien sûr que non, avais-je rétorqué. – Plus nous garderions le contrôle, mieux ce serait. Toute cette histoire devait avoir le moins de retentissement possible. – Lundi dans deux semaines ! – J'avais écrasé ma cigarette, les mains tremblantes. – Oh là là, je me sens mal...

— Pourquoi ? Tout roule. Je parie que tu n'as pas mangé correctement, une fois de plus. – Je m'étais mordu la paume en écoutant mon ami anglais me faire la leçon. – Des toasts, des œufs sur le plat et du bacon : avec ça, un homme est armé pour affronter la journée. Ce que vous prenez au petit déjeuner, c'est bon pour les mauviettes ! Des biscottes et des croissants ! Sérieusement, comment veux-tu survivre avec ça dans le ventre ?

— On ne va pas devenir prosaïques, si ? Sinon, j'aurais deux ou trois choses à dire sur la cuisine anglaise.

Ce n'était pas la première fois que nous débattions des avantages et des inconvénients de nos cultures culinaires.

— Non, pas ça ! – J'imaginais Adam en train de sourire, à l'autre bout du fil. – Dis-moi plutôt qu'on est d'accord sur la date, avant que mon frère ne change d'avis.

J'avais inspiré profondément.

— Bon. Je vais tout de suite parler à notre responsable des relations publiques. Tu veilleras à ce que ton frère connaisse au moins le contenu du roman dans les grandes lignes avant de monter dans le train.

— Promis.

— Dis donc, est-ce qu'il bégaye ?

— Tu débloques ou quoi ? Pourquoi veux-tu qu'il bégaye ? Il parle tout à fait normalement et il a de très belles dents.

— C'est rassurant. Adam ? Un dernier point.

— Oui ?

— Il serait bon que ton frère traite toute cette affaire avec la plus grande discrétion. Qu'il ne raconte à personne pourquoi il se déplace à Paris avec toi. Ni à ses vieux potes du club, ni aux voisins, pas même à sa femme, de préférence. Ce genre d'histoire se répand plus vite qu'on le pense, et le monde est petit.

— Ne te fais pas de souci, Andy. Nous, les Anglais, nous sommes *très discrets*.

Contrairement à ce que je craignais, Michelle Auteuil avait été ravie d'apprendre que Robert Miller voulait venir si tôt à Paris.

— Comment avez-vous obtenu ça aussi rapidement, monsieur Chabanais ? s'était-elle exclamée, surprise, et son stylo-bille avait dessiné un véritable trémolo. L'auteur ne paraît pas aussi compliqué que vous le répétez ! Je vais immédiatement contacter *Le Figaro* ; j'avais déjà tâté le terrain auprès de toutes petites librairies. – Elle avait rapproché son Rolodex et feuilleté les cartes. – Je me félicite que nos efforts aboutissent enfin et... qui sait ? – Elle m'avait souri et ses boucles d'oreilles noires en forme de cœur avaient oscillé vivement d'avant en arrière. – Au printemps, on pourrait peut-être organiser un voyage de presse en Angleterre – une visite au cottage de Robert Miller ! Qu'en pensez-vous ?

J'en avais eu l'estomac tout retourné.

— Fantastique, avais-je déclaré.

Je me sentais l'âme d'un agent double. J'avais décidé de faire mourir ce bon Robert Miller dès qu'il aurait bouclé son programme parisien.

Je l'imaginais déjà dévalant un talus non stabilisé avec sa vieille Corvette. Le coup du lapin. Quelle tragédie, il était encore si jeune. À présent, il ne restait plus que son petit chien. Qui ne pouvait pas parler, fort heureusement. Ni écrire. Peut-être, en tant que fidèle conseiller de Miller et éditeur au grand cœur, prendrais-je soin de Rocky.

Je voyais littéralement les pensées s'agiter derrière le front blanc de Michelle Auteuil.

— Est-ce qu'il continue à écrire ? s'était-elle enquise.

— Oh, je pense bien que oui, m'étais-je hâté de répondre. Cela dit, il lui faut beaucoup de temps parce que son hobby l'occupe énormément. Vous savez, il est toujours en train de bricoler ces voitures de collection. – J'avais fait mine de réfléchir, moi aussi. – Je crois qu'il lui a fallu... sept ans pour achever son premier roman. Presque comme John Irving. Mais en pire.

J'avais éclaté de rire et laissé Mme Auteuil dans son bureau, troublée. L'idée de faire disparaître Miller m'enchantait. Elle me sauverait.

Mais avant que je ne supprime le gentleman britannique, il allait encore m'accorder une petite faveur.

J'avais reçu le mail d'Aurélie Bredin à dix-sept heures treize. Jusqu'alors, je n'avais plus fumé la moindre cigarette. Bizarrement, j'avais presque mauvaise conscience en ouvrant son message. Après tout, j'avais lu la lettre qu'elle avait écrite, en toute confiance, à Robert Miller. Je transportais partout avec moi sa photo, dans mon portefeuille, sans qu'elle n'en sache rien.

Bien entendu, tout cela n'était pas correct. Mais pas totalement incorrect non plus. Car qui, sinon moi, aurait dû ouvrir le courrier adressé à l'écrivain ?

L'en-tête m'avait déstabilisé.

Objet : Questions au sujet de Robert Miller !!!

J'avais soupiré. Trois points d'exclamation ne présageaient rien de bon. Sans connaître le contenu du mail, j'avais eu le sentiment désagréable que je ne pourrais pas répondre de manière satisfaisante aux questions de Mlle Bredin.

Monsieur Chabanais,

Nous sommes lundi et quelques jours ont passé depuis notre rencontre devant vos bureaux. J'espère vivement que vous avez transmis ma lettre à Robert Miller, et même si vous m'avez donné peu d'espoir, je suis confiante dans le fait que j'obtiendrai une réponse. C'est sans doute le devoir d'un éditeur de préserver son auteur des admirateurs insistants, mais peut-être prenez-vous votre tâche un peu trop au sérieux ?

Quoi qu'il en soit, je vous remercie de la peine que vous vous êtes donné, et j'aurais aujourd'hui quelques questions auxquelles vous pourrez sans doute répondre.

1. Robert Miller a-t-il un site dédié ? Je n'ai malheureusement rien pu trouver sur Internet.

2. J'ai également cherché l'édition originale en anglais. En vain, curieusement. Chez quel éditeur le roman de Miller est-il paru en Angleterre ? Et quel est

le titre anglais ? Quand on entre le nom de Robert Miller
sur amazon.co.uk, seule l'édition française s'affiche.
Le livre est pourtant une traduction de l'anglais,
non ? Le nom d'un traducteur est indiqué, en tout cas.

3. Lors de notre entretien téléphonique, vous aviez
évoqué la possibilité que l'auteur donne prochai-
nement une lecture à Paris. Il va sans dire que j'y
participerais avec une grande joie – la date est-elle déjà
fixée ? Si possible, j'aimerais d'ores et déjà réserver
deux places.

Dans l'attente d'une prompte réponse, j'espère ne
pas avoir abusé de votre temps précieux.

Cordialement,
Aurélie Bredin

J'avais tendu la main pour saisir mon paquet de
cigarettes et je m'étais affalé lourdement dans mon
fauteuil. Nom de Dieu, Aurélie Bredin était sacrément obstinée ! Il fallait que je trouve un moyen de
mettre un terme à son enquête. Les deux derniers
points, surtout, me donnaient des crampes d'estomac.

Je préférais ne pas m'imaginer ce qui se passerait
si une Mlle Bredin enthousiaste tombait sur le candide Robert Miller, *also known as* Samuel Goldberg,
et pouvait lui parler en personne !

Pour autant, la probabilité que la belle cuisinière
eût vent de la lecture était infime. Quant à moi, je ne

lui en parlerais pas, en tout cas. Et comme l'interview dans *Le Figaro* ne paraîtrait que le lendemain au plus tôt, aucun danger ne me guettait de ce côté non plus. À ce moment-là, la messe serait dite, et si jamais elle découvrait l'article ou apprenait que la lecture avait bien eu lieu, je pourrais toujours inventer une excuse.

(J'avais été désagréablement surpris que Mlle Bredin réclame *deux* places. Pourquoi donc avait-elle besoin de deux places ? Elle ne pouvait quand même pas avoir un nouveau soupirant, alors qu'elle surmontait à peine son chagrin d'amour. Si jamais il lui fallait une épaule consolatrice, je pouvais lui offrir la mienne.)

Je m'étais allumé une autre cigarette et j'avais continué à gamberger.

Le deuxième point, la question concernant l'édition originale, était nettement plus délicat, car il n'y avait *aucune* version anglaise, et encore moins un éditeur anglais. Je devais réfléchir à une réponse satisfaisante. Il ne manquerait plus qu'il vienne à l'idée de Mlle Bredin de débusquer le traducteur (inexistant). Elle ne trouverait rien sur le sieur sur Internet. Mais que se passerait-il si elle appelait les Éditions Opale et provoquait des remous ? Il valait mieux que j'inscrive tout de suite le traducteur sur ma liste noire. Il ne fallait pas sous-estimer l'énergie que pouvait déployer cette tendre personne. Avec sa résolution farouche, elle finirait par s'adresser à M. Monsignac.

J'avais lancé l'impression du mail pour l'emporter chez moi. Là, je pourrais envisager dans le calme la suite des événements.

Le papier était sorti lentement de l'imprimante qui vibrait légèrement, et je m'étais penché pour le prendre. À présent, j'avais en ma possession deux courriers d'Aurélie Bredin. Mais ce que je tenais dans mes mains n'était pas une missive très agréable.

J'avais parcouru une fois de plus le texte imprimé, cherchant un mot gentil à l'attention d'André Chabanais. Je n'en avais trouvé aucun. La jeune femme pouvait avoir la langue très acérée. Entre les lignes, on lisait clairement ce qu'elle pensait de l'éditeur qu'elle avait rencontré dans le couloir de la maison d'édition, une semaine plus tôt : rien ! Visiblement, je n'avais pas fait forte impression sur Aurélie Bredin.

J'aurais espéré un peu plus de reconnaissance. Surtout si l'on considérait que c'était moi, en réalité, qui avais rasséréné mademoiselle alors qu'elle se trouvait au plus bas. C'était *mon* humour qui l'avait fait rire. C'étaient *mes* idées qui l'avaient séduite.

Oui, je l'avoue, cela me faisait mal d'être congédié par des termes aussi chiches et peu amènes, d'un simple « cordialement », tandis que mon alter ego, courtisé de charmante façon, avait droit à un « très chaleureusement ».

J'avais pris une nouvelle bouffée, furibond. Il était temps d'engager la phase deux et de diriger l'enthousiasme de Mlle Bredin vers la bonne personne.

Naturellement, mon apparition dans le couloir n'avait pas été de nature à exalter l'imagination féminine. Je m'étais tu, j'avais bégayé, je l'avais dévisagée. Et plus tôt, au téléphone, je m'étais montré impatient, *désagréable* même. Rien d'étonnant à ce que la jeune femme aux yeux verts n'ait pas daigné me regarder.

Bon, je n'avais pas la classe de ce dentiste sur la photo d'auteur. Mais je n'étais pas mal de ma personne non plus. J'étais grand, bien bâti et, même si j'avais fait très peu de sport ces dernières années, mon corps était musclé. J'avais des yeux marron foncé, une épaisse chevelure brune, un nez droit, et mes oreilles n'étaient pas décollées. Quant à la barbe discrète que je portais depuis quelques années, il n'y avait qu'à ma mère qu'elle ne plaisait pas. Toutes les autres femmes la trouvaient «virile». Après tout, récemment, Mlle Mirabeau m'avait comparé à l'éditeur de *La Maison Russie*.

J'avais caressé du doigt la petite statue de bronze représentant Daphné nue. Ce qu'il me fallait, et très vite, c'était une chance de me présenter à Aurélie Bredin sous mon meilleur jour.

Deux heures plus tard, j'étais dans mon appartement et je tournais autour de ma table de séjour, sur laquelle une lettre manuscrite et un mail imprimé cohabitaient paisiblement. Dehors, un vent hostile balayait les rues, et il avait commencé à pleuvoir. Je m'approchai de la fenêtre et regardai en

contrebas ; une vieille femme luttait avec son parapluie qui menaçait de se retourner, deux amoureux
se prenaient par la main et se mettaient à courir pour
se réfugier dans un café.

J'allumai les deux lampes disposées sur la
commode, sous la fenêtre, et glissai un CD de Paris
Combo dans ma chaîne. La première chanson retentit, quelques accords rythmiques de guitare et une
douce voix de femme envahirent la pièce.

« *On n'a pas besoin de chercher si loin... Non, non,
pas besoin de chercher si loin... On trouve ce qu'on
veut à côté d'chez soi...* », chantait l'artiste, et ses mots
suaves furent comme une révélation.

Brusquement, je sus ce que je devais faire. J'avais
reçu deux lettres. J'en écrirais deux. L'une en tant
qu'André Chabanais. L'autre en tant que Robert
Miller. Aurélie Bredin trouverait la réponse de
l'éditeur ce soir même dans sa boîte mail. Quant au
courrier de Robert Miller, je le déposerais personnellement mercredi dans sa boîte aux lettres, l'auteur
distrait ayant malencontreusement égaré l'enveloppe
avec l'adresse de l'expéditrice et m'ayant envoyé sa
réponse pour que je la transmette.

Je lancerais deux appâts. L'avantage dans l'affaire, c'était que, dans les deux cas, ce serait moi
qui tiendrais la canne à pêche. Si mon plan se réa-
lisait, vendredi soir, Mlle Bredin passerait une très
agréable soirée avec M. Chabanais, à La Coupole.

J'allai chercher mon ordinateur portable dans
le bureau et l'ouvris. Puis je tapai l'adresse mail

d'Aurélie Bredin et je plaçai le message imprimé près de moi.

Objet : Réponses au sujet de Robert Miller ! ! !

Chère mademoiselle Bredin,

Maintenant que nous nous connaissons un peu, je renoncerais volontiers au simple «Mademoiselle Bredin», très officiel. J'espère que vous n'y verrez pas d'inconvénient.

Pour commencer, je répondrai à votre question la plus pressante, même si vous ne l'avez pas exprimée en des termes aussi directs :

J'ai, bien entendu, fait suivre votre lettre à Robert Miller – je l'ai même postée en précisant «Urgent», afin que votre patience ne soit pas mise à trop rude épreuve. Ne soyez pas si sévère avec moi ! Si vous me prenez pour un drôle d'oiseau, je ne peux pas vous en tenir rigueur – le jour où vous avez surgi dans le couloir de la maison d'édition, j'avais eu quelques déconvenues, et je suis désolé si vous avez eu l'impression que je voulais vous empêcher, d'une manière ou d'une autre, d'entrer en contact avec M. Miller. C'est un auteur merveilleux et je l'estime beaucoup, mais c'est aussi un homme assez peu conventionnel, qui vit en solitaire. Je ne suis pas aussi sûr que vous qu'il répondra à votre courrier, mais je vous le souhaite. On ne peut pas laisser sans réponse une aussi belle lettre.

J'effaçai la dernière phrase. Je ne pouvais pas savoir que c'était une belle lettre. Après tout, je m'étais contenté de la transmettre. Il fallait vraiment que je fasse attention à ne pas me trahir, À la place, j'écrivis :

Si j'étais l'auteur, je donnerais suite, mais cela ne vous avancera pas beaucoup de l'apprendre. Quel dommage que M. Miller ne puisse pas se rendre compte de la beauté de la lectrice qui lui écrit... Vous auriez dû joindre une photo !

Je n'avais pas pu m'empêcher de glisser cette petite allusion.

Maintenant, pour répondre à vos autres questions :

1. Malheureusement, Robert Miller n'a aucun site Internet. Comme je l'ai déjà évoqué, ce n'est pas un personnage public et il ne tient pas à laisser des traces sur le Web. Nous avons déjà eu du mal à obtenir une photo. Contrairement à la plupart des auteurs, il n'apprécie pas du tout qu'on lui adresse la parole dans la rue. Il déteste qu'on s'arrête brusquement devant lui et qu'on lui demande : « Vous ne seriez pas Robert Miller ? »

2. Il n'existe pas d'édition anglaise. Pourquoi ? C'est une très longue histoire avec laquelle je ne veux pas vous ennuyer. Sachez juste que l'agent qui représente Robert Miller, un Anglais lui aussi, que je connais très bien, nous a apporté directement le manuscrit, que nous avons fait traduire. À ce jour, aucune maison anglaise ne l'a publié. Il se peut que l'intrigue ne soit pas adaptée au public anglais ou que d'autres thèmes soient plus prisés actuellement sur le marché anglais.

3. Il n'est pas encore sûr que M. Miller soit disponible prochainement pour la presse française, il n'en est pas question pour l'instant.

C'était à la fois un mensonge éhonté et la vérité. En réalité, ce serait un dentiste qui viendrait à Paris en tant que Miller pour lire quelques extraits, répondre à quelques questions et signer quelques livres.

Le départ de sa femme a été un coup dur ; depuis, il hésite beaucoup à prendre des décisions. Néanmoins, s'il devait un jour donner une lecture à Paris, je me ferais un plaisir de vous réserver une place – ou plutôt deux.

Je m'interrompis un moment et survolai ma lettre. Je trouvai ma prose très crédible. Parfaite, même. Surtout, le tout n'avait en rien des accents *désagréables*. C'est alors que je lançai mon premier appât :

Chère mademoiselle Bredin, j'espère avoir répondu à vos questions. Je vous aiderais volontiers davantage, mais vous comprendrez que je ne peux pas passer outre aux souhaits (et aux droits) de notre auteur. Toutefois (et si vous me promettez de ne pas le crier sur les toits), il serait peut-être possible d'arranger une rencontre plus informelle.

Le hasard veut que j'aie rendez-vous avec Robert Miller ce vendredi, pour discuter de son nouveau livre. Les choses se sont improvisées – il a des obligations à Paris ce jour-là et dispose de peu de temps, mais nous nous verrons pour dîner. Si vous le souhaitez et si votre agenda le permet, vous pourriez passer par hasard et trinquer avec nous ; ainsi, vous auriez l'occasion de serrer la main de votre auteur préféré.

C'est la meilleure proposition que je puisse vous faire pour l'heure, en espérant que vous ne m'écriviez plus de mails offensés.

Eh bien – qu'en dites-vous ?

C'était la meilleure proposition *immorale* que je puisse lui faire pour l'heure, et j'étais relativement sûr qu'Aurélie Bredin mordrait à l'hameçon. Elle était immorale car la personne en question ne se montrerait pas, en fin de compte. Mais cela, naturellement, Mlle Bredin ne pouvait pas le savoir.

J'envoyai le message après lui avoir adressé mes «amitiés», puis je me dirigeai d'un pas décidé vers mon bureau, pour prendre une feuille de papier vergé et mon stylo-bille.

Elle *viendrait* – surtout si elle lisait la lettre de Robert Miller, que j'allais rédiger maintenant. Je m'installai à la table, me versai un verre de vin et en bus une grande gorgée. Puis, d'un trait vigoureux, j'inscrivis :

Dear Miss Bredin.

Ensuite, pendant longtemps, je n'écrivis plus rien. Brusquement, assis devant la feuille blanche, je ne savais pas comment débuter. Mon art de la formule me faisait défaut. J'essayais de penser à l'Angleterre en tambourinant des doigts.

Qu'écrirait un Miller, seul et abandonné dans son cottage ? Et comment devait-il réagir aux questions que Mlle Bredin lui avait posées ? Était-ce un hasard que l'héroïne de son roman ressemble à l'auteure de la lettre ? Était-ce un secret ? Ne pouvait-il pas se l'expliquer lui-même ? Était-ce une longue histoire qu'il voulait lui raconter tranquillement, un jour ?

Je sortis la photo d'Aurélie Bredin de mon porte-feuille, la regardai me sourire et laissai divaguer mon imagination.

Au bout d'un quart d'heure, je me levai. Cela ne servait à rien.

— Mister Miller, vous n'êtes pas très discipliné, pestai-je.

Il était un peu plus de vingt-deux heures, mon paquet de cigarettes était vide et il fallait que je mange d'urgence. J'enfilai mon manteau et fis signe à la table.

— Je reviens vite. D'ici là, trouvez quelque chose, monsieur l'écrivain !

Il pleuvait toujours lorsque je poussai la porte vitrée de La Palette, qui n'était pas loin d'être bondé à ce moment de la journée. Le brouhaha m'enveloppa aussitôt. Dans l'arrière-salle du bistrot, plongée dans la pénombre, toutes les places étaient occupées.

Avec ses simples tables en bois luisant et ses tableaux accrochés au mur, La Palette était très apprécié des artistes, des galeristes, des étudiants, mais aussi du monde de l'édition. On y venait pour grignoter, ou simplement pour prendre un café ou un verre. Le vieux café-restaurant n'était qu'à un saut de puce de mon appartement. J'y allais souvent et je croisais presque toujours des visages connus.

— Salut, André ! Ça va ? me lança Nicolas, un des serveurs. Quel temps de cochon, hein ?

Je secouai mon parapluie et hochai la tête.

— Tu peux le dire !

Je me frayai un chemin à travers la foule, m'installai au bar et commandai un croque-monsieur et un verre de vin rouge.

Curieusement, l'animation autour de moi me faisait du bien. Je mordis dans le toast chaud, finis mon verre, en demandai un nouveau et laissai mon regard errer. Je sentais la tension de cette journée riche en excitation retomber peu à peu. Parfois, il suffisait de prendre un peu de recul, et tout devenait très simple. Rédiger la lettre de Robert Miller serait un jeu d'enfant. Finalement, il suffisait d'alimenter l'idée fixe d'Aurélie Bredin, le temps de réussir à m'imposer entre l'auteur et elle.

Ce n'était pas toujours un avantage de travailler dans un secteur reposant exclusivement sur des mots, des histoires et des idées. Il y avait des moments où j'aurais aimé me confronter à quelque chose de plus tangible, de plus réel, quelque chose qu'on fasse de ses mains – comme fabriquer une étagère en bois ou bâtir un pont. Quelque chose qui tienne plus de la matière, et moins de l'esprit.

Chaque fois que je voyais la tour Eiffel se dresser dans le ciel de Paris, audacieuse et indestructible, je pensais avec fierté à mon arrière-grand-père, un ingénieur qui avait fait de nombreuses découvertes et participé à la construction de cet impressionnant monument de fer et d'acier.

Je m'étais souvent demandé quel sentiment grandiose on pouvait éprouver quand on était capable de créer un édifice de cette ampleur. Pourtant, en cet instant, je n'aurais pas voulu échanger ma place avec mon arrière-grand-père. Certes, je ne pouvais pas construire une tour Eiffel (ni même fabriquer une étagère, pour être honnête), mais je savais manier les mots. Je savais écrire des lettres et inventer des histoires. Des histoires capables de séduire une femme romantique qui ne croyait pas au hasard.

Je commandai un autre verre et me représentai le dîner avec Aurélie Bredin, un dîner auquel succéderait bientôt, j'en étais sûr, un repas bien plus intime au Temps des cerises. Il fallait juste que je manœuvre adroitement. Un jour, quand Robert Miller serait tombé dans l'oubli depuis longtemps et que nous aurions passé ensemble quantité d'années merveilleuses, je lui révélerais peut-être toute la vérité. Et nous en ririons tous les deux.

Tel était mon plan. Mais, bien entendu, rien ne se déroula comme prévu.

J'ignore pourquoi, mais les gens ne peuvent pas s'empêcher de forger des plans. Ensuite, ils s'étonnent que ces plans ne fonctionnent pas.

Accoudé au comptoir, je me laissais aller à mes visions d'avenir, lorsqu'on me tapa sur l'épaule. Un visage rieur apparut devant moi, et je réintégrai le présent.

Silvestro, le professeur avec qui j'avais pris des cours pour rafraîchir mon italien rouillé, l'année dernière, se tenait à côté de moi.

— *Ciao*, André, c'est chouette de te voir. Tu veux te joindre à nous ?

Il indiquait une table derrière lui, autour de laquelle étaient installés deux hommes et trois femmes. L'une d'elles, une charmante rousse avec des taches de rousseur et une bouche voluptueuse, nous regardait en souriant. Silvestro avait toujours des filles renversantes dans son sillage.

— C'est Giulia, commenta Silvestro en me faisant un clin d'œil. Une nouvelle élève. Superbe et célibataire. – Il fit signe à la rouquine. – Alors ? Tu viens ?

— C'est très tentant, mais non, merci. J'ai encore à faire.

— Oublie un peu le travail ! Tu bosses beaucoup trop, me reprocha Silvestro.

— Non, non. Cette fois, c'est plutôt une affaire personnelle, déclarai-je, rêveur.

— Aaaah, tu veux dire que tu as d'autres projets, hein ?

Silvestro me fixa d'un air malicieux, avant d'afficher un large sourire.

— Oui, on peut dire ça comme ça.

Je lui souris en retour et pensai à la feuille blanche posée sur ma table de séjour, qui commençait à se remplir de mots et de phrases. Brusquement, j'avais hâte de partir.

— *Amico*, pourquoi tu ne le dis pas tout de suite ? Dans ce cas, je ne veux pas faire obstacle à ton bonheur !

Silvestro me tapa plusieurs fois avec bienveillance sur l'épaule, avant de retourner à sa table d'où je l'entendis s'exclamer :

— Les amis, il a d'autres projets !

Alors que je me dirigeais vers la sortie, me frayant un passage entre les clients qui discutaient et buvaient au bar, il me sembla, l'espace d'une seconde, apercevoir une mince silhouette aux longs cheveux blond foncé. Assise au fond, tournant le dos à la porte, elle parlait en gesticulant.

Je secouai la tête. Divagation ! À cette heure, Aurélie Bredin se trouvait dans son petit restaurant, rue Princesse. Et j'étais éméché.

La porte s'ouvrit, une bourrasque pénétra dans la salle et, avec elle, un homme dégingandé aux boucles blondes et une jeune femme aux cheveux noirs, vêtue d'un manteau carmin, qui se pressait étroitement contre lui.

Ils avaient l'air très heureux, et je fis un pas de côté pour les laisser passer. Puis je sortis, les mains dans les poches de mon manteau.

Il faisait froid à Paris et il pleuvait, mais quand on était amoureux, la météo n'avait aucune importance.

— Au fond, tu trouves tout ça complètement dingue, non ? Avoue !

Cela faisait un bon moment que j'étais installée avec Bernadette à La Palette, qui était pleine à craquer. Nous avions dégoté une table tout au fond, et depuis un moment, notre conversation ne tournait plus autour de *Vicky Cristina Barcelona*, le film que nous avions vu ce soir-là. Il était question de savoir si les attentes d'une certaine Aurélie Bredin étaient irréalistes.

Bernadette soupira.

— Je veux juste dire que, sur le long terme, il vaudrait peut-être mieux que tu investisses ton énergie dans des projets plus réalistes. Sinon tu seras déçue, une fois de plus.

— Aha, répliquai-je. Mais quand cette Cristina suit un Espagnol qu'elle ne connaît ni d'Ève ni d'Adam, et qui lui explique qu'il veut coucher avec elle, mais aussi avec son amie, tu trouves ça *réaliste* ?

Nos points de vue sur les héroïnes du film étaient plutôt divergents.

— Je n'ai pas exprimé les choses de cette façon. J'ai juste dit que je trouvais ça *compréhensible*. Après tout, ce type est d'une grande honnêteté. Ça me plaît. – Elle me versa un peu de vin. – Enfin, Aurélie, ce n'est que du cinéma, pourquoi tu montes sur tes grands chevaux ? Tu trouves que ce qui se passe est invraisemblable, je trouve que c'est vraisemblable. Tu as préféré Vicky, moi, Cristina. Tu veux vraiment qu'on se dispute à cause de ça ?

— Non. C'est juste que ça m'énerve un peu que tu aies deux poids, deux mesures. Oui, il se peut que ce soit improbable que cet homme me réponde, mais ce n'est *pas* irréaliste.

— Aurélie, il n'est pas du tout question de ça. Moi aussi, je trouve toute cette affaire amusante et passionnante. Simplement, je ne voudrais pas que tu t'enlises une fois de plus dans une aventure que tu regretterais par la suite. – Elle prit ma main et poussa un soupir. – Tu as le chic pour te lancer dans des histoires vouées à l'échec, tu sais ? Pour commencer, tu sors avec ce graphiste fêlé qui disparaît toutes les deux ou trois semaines. Et maintenant, tu ne parles plus que de ce mystérieux auteur qui semble bien compliqué – abstraction faite de ton interprétation de son roman.

— D'après ce drôle de M. Cerbère. Qu'est-ce qui te dit que c'est vrai ?

Vexée, je me tus et me mis à dessiner des motifs sur la serviette avec ma fourchette.

— Rien. Écoute, je veux seulement que tu sois heureuse. Et j'ai parfois le sentiment que tu t'emballes pour des choses qui ne peuvent pas marcher.

— Mais un pédiatre, ça marche, hein ? rétorquai-je. Ça au moins, c'est réaliste.

«Choisis plutôt un gentil pédiatre, au lieu de faire une fixation sur des choses aussi irréalistes», avait déclaré Bernadette tandis que nous sortions du cinéma et que je me demandais à voix haute combien de temps il fallait à une lettre expédiée en Angleterre pour arriver en France.

— O.K., je n'aurais pas dû mettre le pédiatre sur le tapis, concéda-t-elle. Même si cet Olivier est vraiment gentil.

— Oui. Gentil et ennuyeux.

Bernadette m'avait présenté le docteur Olivier Christophle cet été, à sa soirée d'anniversaire, alors que j'étais encore avec Claude. Depuis, elle n'abandonnait pas l'espoir que nous formions un jour un couple.

— Oui, oui, tu as raison, admit Bernadette. Il n'est pas assez excitant. – Un sourire discret se dessina sur son visage. – Très bien. Pour l'instant, nous attendons avec impatience de voir combien de temps la poste met pour acheminer un courrier de l'Angleterre à Paris. J'aimerais que tu continues à me tenir au courant, c'est entendu ? Et quand viendra l'heure d'un médecin gentil et ennuyeux, tu n'auras qu'à me faire signe.

Je chiffonnai ma serviette et la jetai dans mon assiette, au milieu des restes d'omelette au jambon.

— D'accord ! On fait comme ça, approuvai-je en cherchant mon porte-monnaie. Je t'invite.

Je remarquai un léger courant d'air dans mon dos et remontai les épaules en frissonnant.

— Pourquoi faut-il que les gens laissent la porte ouverte aussi longtemps ? demandai-je en rapprochant la coupelle sur laquelle était posée l'addition.

Bernadette me fixa, hébétée, puis ses yeux se rétrécirent.

— Qu'est-ce qu'il y a ? J'ai encore dit quelque chose qu'il ne fallait pas ?

— Non, non. – Elle baissa vivement le regard, et à cet instant, je compris que ce n'était pas moi qu'elle avait fixée. – Prenons un expresso, proposa-t-elle, et je haussai les sourcils, surprise.

— Depuis quand tu bois du café aussi tard ? Tu dis toujours que ça t'empêche de dormir.

— Oui, mais là, j'en ai envie. – Elle me regarda comme si elle voulait m'hypnotiser, et elle sourit. Puis elle sortit une petite chemise en cuir de son sac à main. – Tiens, regarde. Tu connais ces dessins de Marie ? C'est chez mes parents, dans le jardin, à Orange.

— Non... Bernadette... qu'est-ce qui se passe ? – Je remarquai qu'elle fixait régulièrement un point derrière moi. – Qu'est-ce que tu regardes ?

Si Bernadette avait vue sur le bistrot, je pouvais contempler une peinture à l'huile, accrochée au mur lambrissé.

— Rien. Je cherche le serveur.

Elle avait l'air si tendu que je me préparai à me retourner.

— Ne te retourne pas ! siffla Bernadette entre ses dents, en m'attrapant par le bras, mais c'était trop tard.

Au beau milieu de La Palette, dans le passage menant à l'arrière-salle où nous nous trouvions, Claude attendait qu'une table près de la fenêtre se libère (les clients étaient en train de régler leur note). Il avait passé tendrement le bras autour d'une jeune femme ; avec ses cheveux noirs qui lui arrivaient au menton et ses joues roses, on aurait dit une princesse mongole. Elle portait un manteau cintré en feutre rouge, bordé de minuscules franges aux manches et le long de l'ourlet. Et, de toute évidence, elle était enceinte.

Je pleurai pendant tout le trajet, dans le taxi qui me ramenait chez moi. Bernadette, assise à mes côtés, me serrait contre elle et me tendait un mouchoir après l'autre, muette.

— Et tu sais, le pire ? sanglotai-je, alors que Bernadette s'installait sur mon lit et me présentait un mug de lait chaud avec du miel. Ce manteau rouge... On l'avait vu ensemble il n'y a pas longtemps, dans une vitrine, rue du Bac, et je lui avais confié que j'aimerais l'avoir pour mon anniversaire.

C'était la trahison qui me faisait le plus souffrir. Les mensonges. En comptant sur mes doigts, je parvins à la conclusion que Claude me trompait depuis six mois déjà. Il avait l'air si heureux avec sa princesse mongole, la main sur son petit ventre.

Nous avions attendu qu'ils prennent place près de la fenêtre. Puis nous étions vite sorties. De toute façon, Claude ne m'aurait pas vue. Il n'avait d'yeux que pour sa Blanche-Neige.

—Aurélie, je suis tellement désolée. Tu avais surmonté le pire. Et maintenant, ça ! On dirait un mauvais roman.

—Il n'aurait pas dû lui offrir ce manteau. Il n'a... il n'a pas de cœur, expliquai-je à Bernadette, blessée. Cette femme se tient là, dans *mon* manteau, et elle a l'air si... si heureuse ! C'est bientôt mon anniversaire, je suis toute seule et le manteau est parti. C'est totalement injuste.

Bernadette me caressa doucement les cheveux.

—Bois une gorgée de lait. Bien sûr que c'est injuste. Mais les choses ne se déroulent pas toujours comme prévu. Au fond, il ne s'agit pas du tout de Claude, n'est-ce pas ?

Je secouai la tête et bus une gorgée de lait. Bernadette avait raison, il ne s'agissait pas du tout de Claude, mais de ce qui finit toujours par toucher notre âme : l'amour de l'autre auquel nous aspirons tous, vers lequel nous tendons les mains, notre vie durant, pour le toucher et le garder.

Bernadette avait l'air songeur.

—Tu sais que je n'ai jamais tenu Claude en grande estime, commença-t-elle. Mais peut-être qu'il a trouvé la femme de sa vie. Peut-être qu'il voulait te l'annoncer depuis longtemps et qu'il attendait le moment approprié. Qui n'arrive jamais, naturellement. Et puis, ton père est mort. C'était encore plus dur, et il ne voulait pas te quitter dans cette situation. – Sa bouche se tordit, comme chaque fois qu'elle réfléchissait. – Ça se pourrait bien.

— Et le manteau ? insistai-je.

— Le manteau, c'est impardonnable. On va y songer. – Elle se pencha et me donna un baiser. – Maintenant, essaie de dormir, il est déjà tard. Et tu n'es pas seule, tu entends ? Il y aura toujours quelqu'un pour veiller sur toi – quand bien même ce serait ta vieille Bernadette.

J'entendis ses pas s'éloigner. Elle avait une démarche tellement assurée...

— Bonne nuit, Aurélie ! s'écria-t-elle encore, et le parquet de l'entrée craqua.

Puis elle éteignit la lumière, et la porte se referma doucement sur elle.

— Bonne nuit, Bernadette, chuchotai-je. Je suis heureuse que tu existes.

J'ignore si je le devais au lait chaud, mais je dormis étonnamment bien, cette nuit-là. Lorsque je me réveillai, le soleil pénétrait dans ma chambre, pour la première fois depuis des jours. Je me levai et écartai les rideaux. Des aplats bleu clair recouvraient Paris, ou tout au moins le fragment de ciel rectangulaire que dégageaient les murs de la cour.

On ne voit toujours qu'un petit fragment, pensai-je en préparant mon petit déjeuner. J'aurais aimé voir un jour le grand tout.

Hier soir, quand j'avais aperçu Claude avec son amie enceinte, et que cette image transperça mon cœur, j'avais pensé voir la vérité tout entière. Pourtant, ce n'était que *ma* vérité, ma vision des choses. La vérité de Claude en était une autre. Et la vérité de la femme en manteau rouge en était encore une autre.

Pouvait-on atteindre le tréfonds d'un être? Comprendre ce qui le touchait, ce qui le motivait, ce dont il rêvait vraiment?

Je mis la vaisselle sale dans l'évier et fis couler de l'eau.

Claude m'avait menti, mais peut-être aussi l'avais-je laissé me mentir. Je n'avais jamais posé de questions. Parfois, on vit mieux avec le mensonge qu'avec la vérité.

Nous n'avions jamais parlé véritablement de l'avenir, Claude et moi. Il ne m'avait jamais dit : «Je veux un enfant de toi.» Et je ne l'avais pas dit non plus. Nous avions fait ensemble un petit bout de chemin. Il y avait eu de beaux moments, d'autres moins beaux. En matière d'affaires de cœur, il était absurde d'exiger une justice.

L'amour était ce qu'il était. Ni plus ni moins.

Je me séchai les mains, puis j'allai ouvrir le tiroir de la commode, dans l'entrée. J'en sortis la photo nous montrant, Claude et moi, et la regardai une fois encore. «Je te souhaite d'être heureux», déclarai-je, et je plaçai le cliché dans la vieille boîte à cigares qui renfermait mes souvenirs.

Avant de quitter la maison pour faire mes achats au marché et chez le boucher, je passai dans ma chambre et fixai un nouveau bout de papier à mon mur de pensées.

L'amour, quand il a disparu

Quand l'amour a disparu,
De générosité, il n'y a plus.
Toi, tu t'en veux de l'avoir abandonnée,
Et toi qui es restée, tu panses tes plaies.
Plus encore que la séparation, l'échec est douloureux,
Mais en fin de compte, égaux à nous-mêmes nous
*   sommes demeurés.*
Parfois restent un poème, une feuille de papier avec
*   deux cœurs amoureux,*
Le tendre souvenir d'une journée d'été.

Lorsque le téléphone sonna, j'étais en train de demander pardon à une Mlle Mirabeau affreusement vexée. Pendant la réunion déjà, j'avais remarqué que l'assistante éditoriale, d'habitude si charmante, ne daignait pas me regarder. Alors que je parlais d'un livre avec tant d'humour que même Sa Majesté Michelle Auteuil avait failli tomber de sa chaise de rire, la jeune femme blonde était restée de marbre. Après la réunion, toutes mes tentatives pour la faire parler, tandis que je remontais le couloir à côté d'elle, avaient échoué. Elle disait « oui » et « non », impossible d'obtenir autre chose.

— Venez un instant dans mon bureau, avais-je proposé, une fois arrivé au secrétariat.

Elle m'avait suivi en silence.

— Je vous en prie, avais-je déclaré en indiquant une des chaises placées autour de la petite table de conférence. Asseyez-vous.

Mlle Mirabeau avait pris place, telle une comtesse offensée. Elle avait croisé les bras et les jambes, et je n'avais pas pu m'empêcher d'admirer les bas résille en soie claire qu'elle portait sous sa jupe courte.

— Eh bien ! avais-je lancé, jovial. Je vous écoute, qu'est-ce qui vous turlupine ?

— Rien, avait-elle répondu en fixant le parquet, comme s'il y avait quelque chose d'extraordinaire à y découvrir.

C'était pire que je ne le pensais. Quand les femmes affirmaient qu'il n'y avait « rien », c'est qu'elles étaient vraiment fâchées.

— Hum... Vous en êtes sûre ?

— Oui.

Manifestement, elle était décidée à ne m'adresser la parole que par monosyllabes.

— Vous savez quoi, mademoiselle Mirabeau ?

— Non.

— Je n'en crois pas un mot.

Florence Mirabeau ne m'avait accordé qu'un bref regard, avant de se concentrer à nouveau sur le parquet.

— Allez, mademoiselle Mirabeau, ne soyez pas cruelle. Dites à ce vieil André Chabanais pourquoi vous êtes si vexée, sinon je ne pourrai pas dormir cette nuit.

J'avais constaté qu'elle réprimait un sourire.

— Vous n'êtes pas si vieux que ça, avait-elle rétorqué. Et si vous n'arrivez pas à dormir, ce ne sera que justice. – Elle tirait sur sa jupe. – Vous avez dit que je ne devais pas vous regarder bêtement ! avait-elle finalement lâché.

— Je vous ai dit ça ? C'est... c'est monstrueux.

— Pourtant, vous l'avez fait. – Elle m'avait jeté un coup d'œil pour la première fois. – Vous m'avez agressée, hier, pendant que vous téléphoniez. Je voulais juste vous apporter ce rapport de lecture, vous aviez précisé que c'était urgent et j'ai lu tout le week-end, j'ai même dû annuler un rendez-vous. Et voilà comment vous me remerciez ! – Ce discours enflammé lui avait rougi les joues. – Vous m'avez passé un sacré savon.

Maintenant qu'elle le disait, je me rappelais ma discussion animée avec Adam Goldberg, au cours de laquelle Mlle Mirabeau était arrivée à l'improviste, pour son plus grand malheur.

— Oh, mon Dieu, mon Dieu, je suis désolé. – J'avais regardé la grande sensible assise devant moi, le visage lourd de reproche. – Je suis *vraiment* désolé, avais-je répété en y mettant du poids. Vous savez, je ne voulais pas du tout vous agresser, c'est juste que je venais de m'énerver...

— Quand même.

— Non, non, avais-je insisté en levant les deux mains, ce ne sont pas des excuses. Je promets solennellement de m'amender. Vraiment. Me pardonnez-vous ?

Je l'avais fixée, l'air repentant. Elle baissait les yeux et les coins de sa bouche se contractaient, tandis que sa jolie jambe se balançait d'avant en arrière.

— Pour nous réconcilier, je vous offre... – J'avais exécuté une légère révérence dans sa direction, tout en réfléchissant. – ... une tartelette à la framboise. Qu'en dites-vous ? Accepteriez-vous que je vous invite demain, après le déjeuner, à manger une tartelette à la framboise chez Ladurée ?

— Vous avez de la chance, avait-elle souri. J'aime beaucoup les tartelettes à la framboise.

— Puis-je en conclure que vous ne m'en voulez plus ?

— Oui, vous pouvez. – Florence Mirabeau s'était levée. – Je vais aller chercher la note de lecture, avait-elle conclu sur un ton conciliant.

— Oui, faites donc ça ! m'étais-je exclamé. Fantastique ! Je suis impatient de la lire !

Je m'étais également levé pour l'accompagner jusqu'à la porte.

— Ce n'est pas une raison pour en faire trop, monsieur Chabanais. Je ne fais que mon boulot.

— Puis-je vous dire une chose, mademoiselle Mirabeau ? Vous le faites très bien.

— Oh... merci. C'est gentil. Monsieur Chabanais, je...

Elle rougit de nouveau et testa un moment sur le pas de la porte, hésitante.

— Oui ?

C'est alors que le téléphone avait sonné. Comme je ne voulais pas me montrer impoli une fois encore, je n'avais pas bougé, au lieu de pousser Florence Mirabeau dehors et de me précipiter vers mon bureau.

Au bout de la troisième sonnerie, Mlle Mirabeau déclara :

— Allez décrocher, c'est peut-être important.

Elle sourit et s'en alla. Quel dommage, je ne saurais probablement jamais ce qu'elle voulait ajouter. Mais il y avait un point sur lequel Florence Mirabeau avait raison.

Cet appel *était* important.

Je reconnus immédiatement la voix. Je l'aurais reconnue entre mille. Comme la première fois, elle paraissait un peu hors d'haleine, comme si elle venait de monter un escalier en courant.

— Monsieur André Chabanais ?

— Lui-même, répondis-je en m'adossant à mon fauteuil avec un large sourire.

Le poisson avait mordu.

Aurélie Bredin était enthousiasmée par ma proposition de rencontrer Robert Miller « par hasard », avec mon aide, et les questions une à trois de son mail insolent au *désagréable* éditeur des Éditions Opale semblaient oubliées.

— Quelle idée fabuleuse ! s'exclama-t-elle.

Je trouvais moi aussi mon idée tout à fait fabuleuse, mais bien entendu, je gardai cela pour moi.

— Ma foi, elle n'est pas *si* fabuleuse que cela, mais... elle n'est pas mauvaise, affirmai-je modestement.

— C'est vraiment *incroyablement* gentil de votre part, monsieur Chabanais, poursuivit Aurélie Bredin, et je savourai ma soudaine importance.

— Il n'y a pas de quoi, répondis-je avec l'affabilité d'un homme du monde. C'est un plaisir de vous aider.

Elle se tut un moment.

— Moi qui voyais en vous un éditeur grincheux qui ne laissait personne approcher son auteur, reprit-elle, penaude. J'espère que vous ne m'en voulez pas.

Triomphe, triomphe ! C'était apparemment la journée des excuses.

Certes, on ne m'offrait pas de tartelette à la framboise, mais je dois avouer que je n'en étais pas particulièrement friand. Le léger sentiment de culpabilité d'Aurélie Bredin m'était infiniment plus savoureux.

— Ma chère mademoiselle Bredin, je ne *pourrais* pas vous en garder rancune, même si je le voulais. De mon côté, je ne me suis pas vraiment montré sous mon meilleur jour. Oublions ces débuts malheureux et concentrons-nous sur notre petit plan.

Je m'approchai du bureau dans mon fauteuil à roulettes et ouvris mon agenda.

Deux minutes plus tard, l'affaire était entendue. Vendredi soir à dix-neuf heures trente, Aurélie Bredin se présenterait à La Coupole où j'avais réservé une table à mon nom, et nous prendrions un verre. Vers vingt heures, Robert Miller (avec qui j'avais soi-disant rendez-vous pour parler de son nouveau livre) nous rejoindrait, et nous aurions tout loisir de faire connaissance.

J'avais hésité un moment quant au choix du restaurant.

Naturellement, un établissement discret comme Le Bélier, avec ses sièges moelleux en velours rouge,

174

aurait sans doute été plus adapté à mes véritables intentions que la fameuse Coupole – cette grande brasserie animée, toujours pleine le soir. Pour autant, il aurait peut-être paru quelque peu curieux de donner rendez-vous à un auteur anglais dans un lieu qui paraissait destiné aux amoureux.

La Coupole était un choix consensuel, et puisque l'auteur ne se montrerait jamais, je pensais avoir de meilleures chances de passer une autre soirée avec la capricieuse Mlle Bredin si le restaurant n'était pas trop romantique.

— À La Coupole ? s'enquit-elle, et j'entendis aussitôt qu'elle était modérément enthousiaste. Vous voulez vraiment aller dans ce hall pour touristes ?

— C'est Miller qui l'a proposé, expliquai-je. Il a des obligations à Montparnasse avant ça, sans compter qu'il aime La Coupole.

(J'aurais préféré Le Temps des cerises, moi aussi, mais bien entendu, je ne pouvais pas le dire.)

— Il aime La Coupole ?

Son irritation était nettement perceptible.

— Eh bien, c'est un Anglais. Il trouve la brasserie tout à fait superbe. Il dit qu'elle le rend toujours... joyeux, parce qu'elle est très animée et colorée.

— Aha.

Tel fut le commentaire lapidaire de Mlle Bredin.

— Par ailleurs, c'est un fan absolu du curry d'agneau à l'indienne, ajoutai-je, et je me trouvai très convaincant.

— Le curry d'agneau à l'indienne ? répéta Mlle Bredin. Ça ne me dit rien du tout. Il est vraiment si fameux que ça ?

— Aucune idée. En tant que cuisinière, vous pourriez certainement en juger mieux que n'importe qui. La dernière fois, en tout cas, Robert Miller était aux anges. Après chaque bouchée, il répétait « *delicious, absolutely delicious* ». Mais les Anglais ne sont pas vraiment gâtés, question cuisine – *fish and chips* et *tutti quanti*, vous voyez ce que je veux dire. Ils sont dans tous leurs états dès qu'on met dans leur assiette un peu de curry et de noix de coco râpée, ha, ha, ha !

J'aurais aimé qu'Adam Goldberg puisse m'entendre.

Mais Aurélie Bredin ne rit pas.

— Je pensais que Robert Miller aimait la cuisine *française.*

Visiblement, son amour-propre de cuisinière était offensé.

— Écoutez, vous pourrez lui demander tout ça vous-même, tranchai-je, pour ne pas devoir discuter dans les moindres détails des préférences culinaires de mon auteur. – Avec mon stylo-bille, je gribouillais des petits triangles dans mon agenda. – Au fait, M. Miller a-t-il reçu votre lettre ?

— Je pense que oui. Même si je n'ai pas encore de réponse, si c'est ce que vous voulez savoir.

Elle semblait un peu tendue.

— Il va vous écrire, me hâtai-je de lui assurer. Au plus tard, dès qu'il aura fait votre connaissance, ce vendredi.

— Que voulez-vous dire par là ?

— Que vous êtes une jeune femme parfaitement ravissante, et qu'aucun homme ne peut résister durablement à votre charme – pas même un écrivain anglais reclus dans son cottage.

Elle éclata de rire.

— Vous êtes terrible, monsieur Chabanais, vous savez ça ?

— Oui, je sais. Plus terrible encore que vous ne le pensez.

— *Post nubila phoebus.*

Je chuchotai l'inscription gravée dans la stèle blanche, et couchai tendrement les lettres.

« Après les nuages, le soleil. » C'était la devise de mon père qui était un homme cultivé, un humaniste – on ne s'en serait pas forcément douté, compte tenu de son métier. Contrairement à sa fille, il avait énormément lu. Après la pluie, vient le beau temps – comme il était sage !

J'étais au cimetière du Père-Lachaise. Au-dessus de moi, des nuages blancs se donnaient la course dans le ciel, et quand le soleil apparaissait, l'air se réchauffait un peu. Je ne m'étais plus rendue sur la tombe de papa depuis la Toussaint, mais aujourd'hui, j'avais ressenti le besoin impérieux de venir.

Je fis un pas en arrière et plaçai le bouquet d'asters et de chrysanthèmes au pied de la sépulture couverte de lierre.

— Tu ne peux pas t'imaginer tout ce qui s'est passé, papa, déclarai-je tout haut. Tu n'en reviendrais pas.

La semaine avait débuté dans la tristesse, et voilà que je me trouvais au cimetière et que, curieusement, je me sentais heureuse. Surtout, j'attendais demain soir avec impatience.

Le soleil radieux qui s'était invité mardi dans ma chambre, après le temps gris et pluvieux de ces derniers jours, avait pris des allures de présage.

Mardi après-midi, après avoir déposé mes courses au restaurant, étudié avec Jacquie trois menus possibles pour la période de l'avent et pensé quelques fois au manteau rouge et à celle qui le portait, j'étais rentrée à la maison et j'avais décidé d'occuper cette journée pas vraiment reluisante avec une activité tout aussi peu reluisante, avant de retourner au Temps des cerises le soir.

Je m'étais donc assise devant mon ordinateur et j'avais entrepris de régler par virement électronique un tas de factures en souffrance.

Mais avant cela, j'avais relevé mes mails et trouvé un courriel très amical, charmant même, d'André Chabanais. En plus de répondre à toutes mes questions, il me faisait une proposition surprenante qui m'avait aussitôt ravie.

J'avais l'opportunité de faire la connaissance de Robert Miller – même si la rencontre devait être courte –, car M, Chabanais avait rendez-vous avec l'auteur et m'invitait à me joindre à eux comme « par hasard ».

Naturellement, j'avais accepté son offre, et contrairement à mon premier entretien téléphonique avec l'éditeur barbu, notre échange avait été très drôle. Il avait même donné lieu à une sorte de flirt, et dans mon état, cela m'avait fait du bien, d'une certaine façon.

Lorsque j'avais rapporté les faits à Bernadette, elle m'avait immédiatement taquinée, ajoutant que l'éditeur lui plaisait de plus en plus et que, s'il devait s'avérer que l'auteur n'était pas aussi passionnant que son roman, il me resterait une option.

— Tu es impossible, Bernadette, avais-je commenté. Il faut toujours que tu cherches à me caser. Si je devais choisir, je prendrais l'auteur sans hésiter – d'abord, il présente mieux, et puis c'est lui qui a écrit le livre, après tout, tu te rappelles ?

— Pourquoi, l'éditeur est laid comme un pou ? s'était enquise Bernadette.

— Qu'est-ce que j'en sais ? Non, sans doute pas, je n'ai pas bien regardé. André Chabanais ne m'intéresse pas. En plus, il a une barbe.

— Où est le problème ?

— Tu vas arrêter, Bernadette ! Tu sais que les barbus, ce n'est pas mon truc. Je ne leur accorde pas un seul regard, par principe.

— Erreur ! avait objecté Bernadette.

— De toute façon, je ne cherche à sortir avec personne. Je ne cherche à sortir avec personne, tu m'entends ? Je veux juste avoir l'occasion de parler à cet écrivain. Pour les raisons que tu connais déjà, et parce que je lui suis très reconnaissante.

— Où que porte le regard, ce sont divins desseins, entrelacs du destin...

On aurait dit le chœur d'une tragédie grecque.

— Parfaitement. Tu vas voir ce que tu vas voir.

Le soir même, j'avais averti Jacquie que je ne pourrais pas venir vendredi. J'avais appelé Juliette Meunier, une excellente serveuse. Très professionnelle, elle avait été maître d'hôtel au restaurant du Lutetia et m'avait déjà remplacée plusieurs fois. Depuis, elle étudiait l'architecture d'intérieur et ne travaillait plus que quelques heures par-ci, par-là. Par bonheur, elle n'avait rien de prévu et avait accepté de me rendre service.

Évidemment, Jacquie n'avait pas été emballé.

— C'est vraiment nécessaire ? Un vendredi ? Juste au moment où Paul est malade, avait-il pesté, tout en remuant poêles et casseroles pour préparer le repas de notre petite brigade.

Une heure avant que le restaurant n'ouvre, nous dînions tous ensemble : Jacquie, notre chef, le plus âgé d'entre nous, Paul, le jeune second, Claude et Marie, les deux aides, Suzette et moi. Ces repas, où l'on ne discutait pas que du restaurant, avaient quelque chose de très familier. On y parlait, on s'y disputait, on y riait – et chacun se mettait au travail, revigoré.

— Je suis désolée, Jacquie, mais j'ai un rendez-vous important et inattendu, avais-je révélé, et le cuisinier m'avait regardée avec insistance.

—Pour être inattendu, il est inattendu, ce rendez-vous. Au déjeuner, quand on a évoqué les menus de Noël, tu n'en savais encore rien.

—J'ai déjà téléphoné à Juliette, avais-je ajouté vivement, pour qu'il ne creuse pas davantage ta question. Elle veut bien venir. Pour le mois de décembre, de toute façon, il faut peut-être songer à prendre quelqu'un de plus en cuisine. Si Paul est toujours absent, je pourrai aussi te donner un coup de main, et on verra avec Juliette si elle est d'accord pour me remplacer le week-end.

—Ah non, je n'aime pas travailler avec des femmes, avait objecté Jacquie. Les femmes ne savent pas saisir les viandes correctement.

—Tu ne manques pas de culot ! Je saisis les viandes comme il faut. Tu es un vieux misogyne, Jacquie.

—Je l'ai toujours été, toujours, avait souri Jacquie. – Il avait émincé avec dextérité deux gros oignons jaunes sur une planchette en bois, et fait glisser les morceaux dans une grande poêle, avec son couteau. – En plus, tu ne t'y connais pas assez en sauces.

Il avait fait dorer les oignons dans le beurre, avant d'y verser du vin blanc et de baisser un peu la flamme.

—Qu'est-ce que tu racontes, Jacquie ? m'étais-je indignée. C'est toi-même qui m'as appris à préparer la plupart des sauces, et mon filet sauce au poivre est absolument délicieux, ru l'as toujours dit.

—Oui, ta sauce au poivre est fantastique, mais juste parce que tu tiens la recette secrète de ton papa.

Il avait jeté quelques frites dans la friteuse, et le grésillement de l'huile bouillante avait étouffé mes protestations.

Quand Jacquie était aux fourneaux, il se transformait en un véritable jongleur. Il aimait lancer plusieurs balles en l'air en même temps, et c'était prodigieux de le regarder faire.

— Par contre, tu réussis parfaitement les desserts, je te l'accorde, avait poursuivi Jacquie, impassible, en remuant la poêle. Bon, espérons que Paul soit de nouveau sur le pont samedi. – Il m'avait jeté un coup d'œil par-dessus la friteuse, puis il avait tiré sur sa paupière inférieure. – Un rendez-vous important, hein ? Et comment s'appelle l'heureux élu ?

L'heureux élu s'appelait Robert Miller, même s'il ne se doutait pas encore du bonheur qui l'attendait. Il ignorait qu'il aurait droit à une *blind date*, vendredi, à La Coupole. Et j'ignorais s'il se réjouirait tant que cela qu'une importune vienne perturber son entretien avec André Chabanais.

Mais le jeudi était arrivé, et avec lui, une lettre qui m'avait confortée dans l'idée que ce que j'avais entrepris était juste et qu'il était parfois bon de suivre son intuition, même si cela pouvait paraître absurde aux autres.

J'avais sorti de ma boîte une enveloppe sur laquelle ne figurait que mon nom. Quelqu'un y avait collé un Post-it. On pouvait y lire :

Chère mademoiselle Bredin, ce courrier est arrivé chez nous hier après-midi, félicitations ! Robert Miller a malencontreusement égaré l'enveloppe avec votre adresse, c'est pourquoi il l'a envoyé à notre maison d'édition. Je pense que vous ne verrez pas d'inconvénient à ce que je le dépose chez vous. À demain soir, et bonne lecture ! André Chabanais

J'avais souri. C'était typique de ce Chabanais de me féliciter comme si j'avais gagné un pari, et de me souhaiter une bonne lecture. Il avait sans doute été surpris que son auteur me réponde.

Pas un instant, je ne me demandai comment André Chabanais pouvait bien connaître mon adresse personnelle.

Incapable d'attendre, je m'étais assise sur l'escalier de pierre, sans enlever mon manteau, et j'avais déchiré l'enveloppe. Puis j'avais lu les phrases, qu'une écriture abrupte avait littéralement imprimées dans le papier.

Dear Miss Aurélie Bredin,

J'avais été très heureux de recevoir votre gentil lettre. Malheureusement il a aussi beaucoup plu à ma petite chien Rocky, surtout l'envelope. Quand je l'ai réalisé, il était déjà trop tard, et Rocky, ce petit monstre dévoreur, avait joliment avalé l'envelope avec l'adresse.

Je dois m'excuser pour ma chien, elle est encore tout jeune, et j'envoie ma réponse à mon loyale éditeur André Chabanais qui va vous le donner, avec bon espoir.

J'aimerais dire à vous, chère mademoiselle Bredin, que déjà j'ai reçu beaucoup des courriers de fans, mais pas encore aussi belles et passionnantes.

Je suis vraiment réjoui que mon petit roman de Paris vous a tellement aidé, à une moment que vous étiez aussi malheureuse. Ainsi il a été utile de quelque chose, et cela est plus qu'on peut dire du plupart des livres. (J'espère aussi que vous avez pu vous échapper de la police à la longue !)

Je crois je peux bien vous comprendre. Moi aussi je suis été malheureux longtemps et je sens avec vous du plus profond de ma cœur !

Je ne suis pas le type qui aime beaucoup être avec la public, je préfère de rester incognito, et j'ai peur que je suis un peu ennuyant, parce que j'aime très beaucoup être dans mon cottage, promener dans la nature et réparer les vieilles voitures, mais si ça ne fait pas peur à vous, je prends bien la charmante invitation dans votre petite restaurant, quand je suis revenu à Paris.

Mon prochain fois est très court et plein avec les rendez-vous, mais je voudrais de venir avec plus de temps, pour que nous pouvons parler gentiment et dans le calme. Oui, je connais votre restaurant, je suis tombé en amour avec elle au premier regard, surtout les nappes avec les carreaux rouges.

Merci très beaucoup pour h belle photo que vous avez envoyé à moi. Est-ce que je peux dire que vous êtes très sexy sans blesser votre intimité ?

Et vous êtes juste, bien sur – la ressemblance entre Sophie et vous, chère Aurélie, est étonnant – et je pense que je dois à vous une explication de ma petite secret ! Je vais juste dire quelque chose : dans mes attentes les plus fous, je n'ai jamais pensé de recevoir un courier de mon héroïne du livre – c'est comme un rêve qui reçoit la vérité.

J'espère très beaucoup que vous sentez maintenant bien mieux et vous êtes libéré de votre malheur. Je suis tellement réjoui de vous voir bientôt de chair et d'os !

Excusez moi, ma Français est un peu pauvre, malheureusement ! Mais j'espère beaucoup vous êtes quand même contente que je vous avais répondu.

Je ne peux pas attendre d'être dans votre belle res-taurant et de parler enfin avec vous de TOUT.

Avec mes souhaits amicaux et à tout bientôt !
Très dévoué,
Votre Robert Miller

Une voix rauque retentit soudain derrière moi :

— Auriez-vous un arrosoir, mademoiselle ?

Je sursautai et me retournai.

Devant moi se tenait une vieille femme de petite taille qui portait un manteau d'astrakan noir et la toque assortie. Elle avait des lèvres maquillées de rouge et me considérait avec curiosité.

— Un *arrosoir*! répéta-t-elle, impatiente.

— Non, désolée, madame.

— Ça ne va pas, pas du tout.

Elle secoua la tête et pressa les lèvres, l'air courroucé.

Je me demandai ce que la vieille dame pouvait bien vouloir faire avec un arrosoir. Il avait tellement plu ces dernières semaines que la terre devait être suffisamment humide.

— On m'a volé mon arrosoir, m'expliqua la vieille femme. Je me rappelle parfaitement l'avoir caché derrière la pierre tombale... – Elle indiqua une sépulture non loin, au-dessus de laquelle un vieil arbre étendait ses branches noueuses. – ... et maintenant, il a disparu. On vole partout, de nos jours. Même dans les cimetières, vous vous rendez compte?

Elle farfouilla dans son sac à main noir et en sortit des gauloises, à mon grand étonnement. Elle alluma une cigarette, prit une profonde inspiration et souffla la fumée dans le ciel bleu.

Puis elle me tendit son paquet.

— Tenez, vous en voulez une?

Je secouai la tête. Je fumais parfois dans les cafés, mais jamais dans les cimetières.

— Allez, prenez-en une, mon petit, fit-elle en agitant le paquet sous mon nez. On n'a qu'une vie!

Elle gloussa et je ne pus réprimer un sourire, stupéfaite.

— Bon, merci.

Elle me donna du feu.

— Je vous en prie. Ah, oublions ce stupide arrosoir. Il était fissuré, de toute façon. C'est beau que le soleil brille après toute cette pluie, non ?

Je hochai la tête. Oui, c'était beau. Le soleil brillait et la vie était à nouveau pleine de surprises.

C'est ainsi qu'un jeudi après-midi, je me retrouvai à tirer des taffes dans le Père-Lachaise, au soleil, avec une vieille dame bizarre qui semblait tout droit sortie d'un film de Fellini. Le calme régnait autour de nous et j'avais la sensation que nous étions seules dans l'immense cimetière.

Au loin se dressait Euterpe, Muse de la musique, qui veille depuis si longtemps sur la tombe de Frédéric Chopin. De nombreux pots de fleurs étaient posés au pied du monument funéraire, des bouquets de roses étaient accrochés à la grille. Mon regard erra ici et là. Certaines sépultures avaient été fleuries pour la Toussaint ; sur d'autres, la nature avait reconquis le terrain, et mauvaises herbes et plantes sauvages envahissaient les bordures de pierre. Ici, les morts étaient oubliés. Ils n'étaient pas rares.

— Je vous observais, déclara la vieille dame d'un air entendu en me fixant de ses yeux marron, cernés par une centaine de rides. On aurait dit que vous étiez en train de penser à quelque chose de très beau.

Je pris une nouvelle bouffée.

— C'est le cas, répondis-je avec un sourire. Je pensais à demain soir. Je vais à La Coupole...

— Quel hasard ! s'exclama la vieille dame en remuant la tête. Demain, je serai aussi à La Coupole. Je fête mes quatre-vingt-cinq printemps, mon petit. J'*aime* La Coupole – j'y suis chaque année pour mon anniversaire. Je prends toujours des huîtres, elles sont très bonnes.

Brusquement, j'imaginai ce personnage fellinien attablé à la brasserie, entouré de ses enfants et de ses petits-enfants.

— Alors, je vous souhaite d'ores et déjà une belle fête.

— Eh bien, ce sera une petite fête, cette fois, reprit-elle sur un ton de regret. *Très* petite, pour être honnête. Juste les serveurs et moi, mais ils sont toujours charmants. – Elle sourit, aux anges. – Mon Dieu, les fêtes éblouissantes qu'on a célébrées à La Coupole ! Henry, mon mari, dirigeait l'orchestre de l'Opéra. Après les premières, le champagne coulait à flots et nous étions tous merveilleusement ivres. – Elle gloussa. – Oui, c'était il y a longtemps... Quant à George, il ne vient à Paris avec les enfants qu'à Noël. Il vit en Amérique du Sud. – Je supposai que George était son fils. – Eh bien, depuis que mon vieil ami Auguste s'en est allé... – Elle s'interrompit et regarda en direction de la pierre tombale qui avait abrité son arrosoir. – ... il n'y a malheureusement plus personne pour faire la fête avec moi.

— Oh... je suis désolée.

— Il ne faut pas, mon petit, c'est la vie. Notre temps est compté. Quand je suis couchée dans mon lit, il m'arrive d'énumérer tous mes morts. – Elle me fixa avec des airs de conspiratrice et baissa la voix. – Il y en a déjà *trente-sept*. – Elle prit une dernière bouffée et jeta négligemment le mégot par terre. – Et moi, je suis toujours là, vous vous rendez compte ? Vous voulez que je vous dise quelque chose, mon petit ? Je savoure chaque foutu jour. Ma mère est décédée à l'âge de cent deux ans et elle est restée gaie jusqu'à la fin.

— Impressionnant.

Elle me tendit énergiquement sa petite main, gantée de cuir noir.

— Elisabeth Dinsmore. Mais vous pouvez m'appeler Liz.

Je laissai tomber le bout de ma cigarette et lui serrai la main.

— Aurélie Bredin. Vous savez quoi, Liz ? Vous êtes la première rencontre que je fais dans un cimetière.

— Oh, j'ai fait beaucoup de rencontres dans les cimetières, m'assura Mrs Dinsmore en souriant jusqu'aux oreilles. Ce n'étaient pas les pires.

— Dinsmore... Ça ne sonne pas très français.

J'avais déjà remarqué que la voix de la vieille dame prenait des inflexions étranges, que j'avais attribuées à son grand âge.

— C'est normal, répliqua Mrs Dinsmore. Je suis américaine, mais j'habite Paris depuis une éternité. Et vous, mon petit ? Qu'allez-vous faire à La Coupole ? s'enquit-elle sans transition.

— Oh, je... – Je me rendis compte que je rougissais. – Je dois y rencontrer... quelqu'un.

— Aaaah ! Et... est-ce qu'il est gentil ?

Aller à l'essentiel était manifestement l'un des privilèges de l'âge.

Je ris et me mordis la lèvre inférieure.

— Oui... Je pense que oui. C'est un écrivain.

— Un écrivain, bonté divine ! s'écria Elisabeth Dinsmore. Comme c'est *excitant* !

— Oui, confirmai-je, sans entrer dans le détail de mon rendez-vous. Je *suis* plutôt excitée.

Après avoir pris congé de Mrs Dinsmore – Liz –, qui m'avait invitée à trinquer à sa table, le lendemain soir (« Mais vous aurez sans doute mieux à faire que de descendre du champagne avec une vieille bique, mon petit », avait-elle ajouté en clignant de l'œil), je restai encore un moment devant la stèle blanche.

— Au revoir, papa, dis-je doucement. J'ai le sentiment que demain sera une journée très particulière.

La suite des événements devait me donner raison, d'une certaine façon...

Je faisais la queue dans une file qui débutait devant la grande porte vitrée. Même si La Coupole n'était pas exactement mon restaurant préféré, c'était un lieu de rencontre apprécié des jeunes et des moins jeunes. Les touristes n'étaient pas les seuls à affluer dans le légendaire établissement au store rouge, sur le très passant boulevard du Montparnasse, réputé être la plus grande brasserie de Paris. Les hommes d'affaires et les Parisiens y allaient eux aussi volontiers pour manger et faire la fête. Il y a quelques années, des soirées salsa se tenaient le mercredi, dans le dancing situé sous le restaurant, mais depuis, l'engouement avait dû retomber – toujours est-il que je ne vis aucune affiche annonçant ce type de manifestation.

Je progressai dans la queue et pénétrai dans La Coupole. Un brouhaha animé m'entoura aussitôt. Des serveurs portant de grands plateaux en argent s'affairaient entre les longues rangées de tables recouvertes de nappes blanches, au-dessus desquelles se déployait l'immense voûte. Même si l'on cherchait en vain une véritable coupole, la salle aux piliers peints en vert et aux lampes Art déco restait impressionnante. Le restaurant vibrait de vie – « se donner en spectacle », telle était la devise des lieux, et les clients semblaient avoir à cœur de la mettre en pratique. Cela faisait longtemps que je n'étais plus venue et j'observais toute cette effervescence avec amusement.

Un maître d'hôtel distribuait aimablement de petites cartes rouges aux personnes qui n'avaient pas réservé, et les invitait à patienter au bar. Les noms de compositeurs célèbres étaient inscrits dessus, et toutes les deux ou trois minutes, un jeune serveur s'approchait et prenait visiblement plaisir à crier à tue-tête, tel un directeur de cirque : « Bach, deux personnes, s'il vous plaît ! », ou « Tchaïkovski, quatre personnes, s'il vous plaît ! », ou « Debussy, six personnes, s'il vous plaît ! » Les clients concernés se levaient et on les conduisait à leur table.

— Bonsoir, mademoiselle, vous avez une réservation ? me demanda avec empressement le maître d'hôtel, tandis qu'une jeune femme prenait mon manteau et me remettait une contremarque.

— J'ai rendez-vous avec M. André Chabanais.

Le maître d'hôtel jeta un coup d'œil sur sa longue liste.

— Une table pour trois personnes. Un instant, s'il vous plaît !

Il fit signe à un serveur. Celui-ci, un homme d'un certain âge aux cheveux gris coupés court, m'adressa un sourire obligeant.

— Si vous voulez bien me suivre, mademoiselle ?

Mon cœur se mit soudain à battre la chamade. Dans une demi-heure, je ferais enfin la connaissance de Robert Miller qui était, à en croire sa lettre, « tellement réjoui de me voir bientôt de chair et d'os ».

Je lissai ma robe. C'était la robe en soie verte, la robe du livre, la robe que je portais sur la photo envoyée à Miller. Je n'avais rien laissé au hasard.

Le serveur s'arrêta net devant une niche lambrissée.

— Et voilà !

André Chabanais bondit de sa banquette pour m'accueillir. Il portait un costume sombre, une chemise blanche et une élégante cravate bleu foncé.

— Mademoiselle Bredin ! s'écria-t-il. Quelle joie de vous voir... Asseyez-vous, je vous en prie.

Il indiqua la banquette et se planta à côté d'une chaise placée en vis-à-vis.

— Merci.

Le serveur écarta légèrement la table et je me glissai sur le siège en cuir rembourré.

André Chabanais s'assit à son tour.

— Que voulez-vous boire ? Du champagne, pour fêter ce *grand* jour ? s'enquit-il avec un sourire goguenard.

Je constatai que je rougissais, ce qui me contraria parce qu'il l'avait remarqué, lui aussi.

— Ne soyez pas impertinent, rétorquai-je en serrant mon sac à main contre moi. Mais, oui, du champagne, ce serait très bien.

Son regard remonta le long de mes bras nus.

— Vous êtes ravissante, si je puis me permettre. Cette robe vous va à merveille. Elle met vos yeux en valeur.

— Merci. Vous n'êtes pas mal non plus, ce soir.

— Oh... je n'ai qu'un rôle très secondaire, vous savez. – André Chabanais se retourna et fit signe au serveur. – Deux coupes de champagne, s'il vous plaît !

— Je pensais que c'était moi qui jouais les seconds tôles. Après tout, je suis seulement de passage.

— On verra bien. Que ça ne vous empêche pas de poser votre sac ! Votre auteur sera là dans un quart d'heure au plus tôt.

— Vous voulez dire *votre* auteur, déclarai-je avant de mettre mon sac de côté.

— Alors, disons *notre* auteur, sourit M. Chabanais.

Le serveur vint nous verser le champagne, puis il nous tendit les menus.

— Merci, mais nous attendons encore un invité, expliqua M. Chabanais en plaçant les cartes près de lui.

Il prit son verre et l'approcha du mien pour que nous trinquions. Le champagne était glacé. J'en bus trois grandes gorgées et je sentis ma nervosité céder la place à la joie et au détachement.

— Merci encore d'avoir arrangé cette rencontre. Pour tout vous dire, je brûle d'impatience, précisai-je en reposant ma coupe.

— Je peux le comprendre, commenta André Chabanais en s'adossant à sa chaise. Vous voyez, je suis un grand fan de Woody Allen. J'ai même commencé à apprendre la clarinette, juste parce qu'il en joue. – Il eut un petit rire. – Malheureusement, ma nouvelle passion était vouée à l'échec. Les voisins tapaient au plafond chaque fois que je m'exerçais. – Il se mit à lisser la nappe blanche. – Toujours est-il qu'un jour, Woody Allen est venu à Paris pour y donner un concert avec son drôle de jazz-band, dans une salle où se produisaient habituellement de grands orchestres classiques. Tous les billets étaient partis et j'avais réussi à dégoter une place au cinquième rang. Comme pour tous les autres spectateurs, sa musique n'était pas ma motivation première. Pour être honnête, Woody Allen ne jouait pas mieux qu'un musicien de jazz de n'importe quel bistrot de Montmartre. Mais voir de près ce vieil homme dont je connaissais tant de films, l'entendre s'adresser directement à nous... J'ai vécu un moment incroyable et très excitant. – Il se pencha en avant et appuya son menton sur sa paume. – Du reste, il y a une chose qui m'énerve, aujourd'hui encore.

Il se tut un moment ; je finis mon champagne et me penchai également en avant. Ce Chabanais savait raconter les histoires. Mais il était aussi très attentif. S'apercevant que mon verre était vide, il fit signe au serveur qui nous apporta aussitôt deux autres coupes.

— À la vôtre, fit André Chabanais, et je levai mon verre sans protester.

— Donc, il y a une chose qui vous énerve, aujour-d'hui encore, répétai-je, curieuse d'en savoir plus.

— Oui, reprit-il, avant de s'essuyer la bouche avec sa serviette. Voilà comment ça s'est passé : une fois le concert terminé, il y a eu des applaudissements monstres. Des gens se sont levés, d'autres tapaient des pieds, pour honorer le petit homme frêle en pull et pantalon en velours côtelé, qui avait l'air aussi modeste et déconcerté que dans ses films. Il était déjà parti et revenu cinq fois sous le tonnerre d'acclamations de ses fans quand, brusquement, un colosse en costume noir a bondi sur scène. Il avait des cheveux sombres lissés en arrière, on aurait dit un ténor. Bref, il a serré la main d'un Woody Allen médusé et il lui a tendu une carte et un feutre pour qu'il lui signe un autographe. Et Woody s'est exé-cuté, avant de disparaître une fois pour toutes.

M. Chabanais finit sa coupe, avant de poursuivre :

— J'aurais aimé avoir le culot de bondir sur scène, moi aussi, juste comme ça. Plus tard, j'aurais pu montrer cet autographe à mes enfants, vous vous rendez compte ? – Il soupira. – À présent, ce bon vieux Woody est rentré en Amérique, je cours voir chacun de ses films et il est très peu probable que je le revoie un jour en chair et en os. – Il me regarda, et cette fois, je ne décelai aucune raillerie dans ses yeux bruns. – Vous voyez, mademoiselle Bredin, au fond, j'admire votre opiniâtreté. Vous *savez* ce que vous voulez.

Une sonnerie discrète interrompit son éloge de ma détermination.

— Excusez-moi, c'est le mien. – André Chabanais sortit son portable de sa veste et se détourna. – Oui ?

Je jetai un coup d'œil à ma montre et m'aperçus avec surprise qu'il était déjà vingt heures quinze. Le temps avait passé très vite, et Robert Miller pouvait se montrer à tout instant.

— Ah, c'est bête, je suis désolé ! s'exclama monsieur Chabanais. Non, non, ce n'est pas un problème du tout. Je suis installé très confortablement. Pas de stress. – Il rit. – Bon. À plus tard, alors.

Il remit le téléphone dans sa poche.

— C'était Robert Miller. Il est encore coincé et ne sera pas là avant une demi-heure. – Il me fixa avec candeur. – Vous allez devoir attendre.

— Le principal, c'est qu'il vienne, déclarai-je en haussant les épaules.

Je me demandais où Robert Miller pouvait bien être coincé. Au fait, que faisait-il quand il n'écrivait pas de livres ? Je m'apprêtais à poser la question, lorsque André Chabanais intervint :

— À propos, vous ne m'avez pas encore parlé de la lettre de Miller. Qu'y avait-il dedans ?

Je lui souris en enroulant une mèche de cheveux autour de mon doigt.

— Vous savez quoi, monsieur Chabanais des Éditions Opale ? Ça ne vous regarde pas.

— Oh, fit-il, déçu. Allez, soyez un tout petit peu indiscrète, mademoiselle Bredin. Après tout, j'ai joué les facteurs.

— Jamais de la vie. Vous allez encore vous moquer de moi.

Son visage prit un air innocent.

— Si, si, repris-je. Au fait, comment avez-vous eu mon adresse ?

L'espace d'un instant, il parut irrité, puis il se mit à rire.

— Secret professionnel. Vous ne me révélez rien, je ne vous révèle rien non plus. Remarquez, je me serais attendu à un peu de gratitude.

— Aucune chance, répliquai-je, avant de boire une nouvelle gorgée.

Tant que je ne saurais pas ce qui me liait à Robert Miller, je ne dirais pas un traître mot. D'autant plus que Miller avait évoqué une « petite secret ».

Le champagne commençait à me monter à la tête.

— En tout cas, je ne crois pas que *notre auteur* sera furieux de me trouver assise ici. Il m'a répondu très gentiment.

— Étonnant. Votre courrier devait être irrésistible.

— Vous connaissez bien Miller ? demandai-je, sans relever l'adjectif.

— Oh, *plutôt* bien. – Fallait-il entrevoir un soupçon d'ironie dans le sourire de M. Chabanais, ou n'était-ce que le fruit de mon imagination ? – Nous ne sommes pas nécessairement les amis les plus proches, et je le trouve un peu extravagant, à certains égards, mats j'affirmerais que je connais jusqu'aux moindres circonvolutions de son cerveau.

— Intéressant. De son côté, il a visiblement une haute opinion de son «loyal» éditeur.

— J'espère bien ! lança André Chabanais en regardant l'heure. Dites... C'est trop bête. J'ai une faim de loup. Que diriez-vous de commander ?

— Je ne sais pas, hésitai-je, je ne suis même pas prévue...

Il était maintenant vingt heures trente et je constatai que je commençais à avoir faim, moi aussi.

— Dans ce cas, je décide, trancha André Chabanais, avant de faire à nouveau signe au serveur. J'aimerais commander, finalement. Nous allons prendre deux, non, trois currys d'agneau à l'indienne, et avec ça, nous boirons... ce Château Lafite.

— Très bien, approuva le serveur en reprenant les menus et en posant une corbeille de pain sur la table.

— Puisque vous êtes ici, autant goûter au légendaire curry d'agneau, précisa M. Chabanais, dont l'humeur s'améliorait visiblement de minute en minute. – Il me montra les Indiens habillés comme des maharajahs, qui allaient et venaient dans les allées du restaurant en poussant leur chariot. – Votre avis professionnel m'intéresse.

Quand, peu après vingt et une heures, le portable d'André Chabanais sonna une seconde fois et que Robert Miller annula son rendez-vous à La Coupole, il était trop tard pour partir, même si j'y songeai un instant.

Nous avions déjà bu un verre du délicieux bordeaux, tout en finesse, et le fameux curry d'agneau (qui, à mon sens, n'était pas si fameux que cela et aurait tout à fait supporté un peu plus de bananes, de pommes et de noix de coco) fumait dans nos assiettes.

M. Chabanais avait dû remarquer ma brève hésitation ; lorsqu'il m'avait annoncé la nouvelle, à son grand regret, j'avais étreint le verre renflé, terriblement déçue.

— Quel dommage, déclara-t-il finalement. J'ai bien peur que nous ne devions venir seuls à bout du curry. – Il me regarda, l'air faussement désespéré. – Vous n'allez quand même pas m'abandonner ici avec cette montagne de viande et toute une bouteille de ce grand cru ?

— Non, bien sûr que non, répondis-je en secouant la tête. Vous n'y pouvez rien...

Je bus une gorgée et me forçai à sourire.

J'étais venue en vain. Je m'étais libérée, j'avais pris un bain, je m'étais coiffée, j'avais enfilé ma robe verte. En vain, je m'étais tenue devant le miroir en réfléchissant aux phrases que je voulais dire à Robert

Miller. J'étais si près du but... Pourquoi mes vœux ne pouvaient-ils s'exaucer, pour une fois ?

— Mon Dieu, mon Dieu, vous voilà terriblement déçue, compatit Chabanais. – Il fronça les sourcils. – Ah, parfois, je pourrais envoyer ce Miller au diable ! Ce n'est pas la première fois qu'il annule au dernier moment. – Ses yeux bruns me fixèrent et il sourit. – Et maintenant, vous voilà coincée avec son imbécile d'éditeur, et vous vous dites que vous êtes venue pour rien et que le curry n'est pas aussi inoubliable que tout le monde le dit... – Il poussa un soupir. – C'est cruel. Mais vous avouerez que le vin est excellent !

— Oui, je l'avoue.

André Chabanais se donnait beaucoup de mal pour me consoler, et je lui en fus reconnaissante.

— Allez, mademoiselle Bredin, ne soyez pas triste comme ça. Vous finirez bien par rencontrer votre auteur, ce n'est qu'une question de temps. Après tout, il vous a écrit. Ce n'est pas rien, vous ne trouvez pas ?

Il écarta les bras, l'air interrogateur.

— Si, confirmai-je en me passant l'index sur les lèvres, songeuse.

Chabanais avait raison. Rien n'était perdu. Et puis, au fond, il valait mieux que je voie Robert Miller seule. Dans mon propre restaurant.

Chabanais se pencha en avant.

— Je sais que je suis un piètre remplaçant, comparé au remarquable Mr Miller, mais je vais faire tout ce qui est en mon pouvoir pour que vous ne gardiez pas un trop mauvais souvenir de cette soirée, et que vous m'offriez, peut-être, un minuscule sourire. – Il tapota ma main et la tint un peu plus longtemps que nécessaire. – Vous qui croyez au destin, mademoiselle Bredin... qu'en pensez-vous ? Ne pourrait-il y avoir un sens profond au fait que nous nous retrouvions ici, *tous les deux*, à nous tenir la main ?

Il me fit un clin d'œil et *je* souris malgré moi, avant de retirer ma main et de lui taper sur les doigts.

— Il y a des gens comme ça, vous leur tendez le petit doigt et ils veulent toute la main. Vous en demandez *trop* au destin, monsieur Chabanais ! Versez-moi plutôt un peu de vin.

La soirée se déroula mieux que je ne l'avais espéré. Aurélie Bredin était arrivée à La Coupole visiblement tendue, mais de bonne humeur. Elle avait cinq minutes d'avance, et je remarquai avec un sourire qu'elle portait la même robe en soie verte que sur la photo.

Elle était renversante et je dus me dominer pour ne pas la dévorer des yeux. Je plaisantai un peu pour qu'elle ne trouve pas le temps trop long, et elle se révéla d'un abord plus facile que je ne l'aurais pensé.

Puis Silvestro appela sur mon portable, comme convenu. Il avait accepté le boulot sans trop poser de questions.

— Alors, comment ça se passe ? demanda-t-il.

— Ah, c'est bête, je suis désolé !

— C'est prometteur.

— Non, non, ce n'est pas un problème du tout. Je suis installé très confortablement. Pas de stress.

— Amuse-toi bien... À plus tard !

Aurélie Bredin goba le retard, et je commandai du champagne. Nous avions bu et parlé, et brusquement, elle me fit paniquer en me demandant comment j'avais obtenu son adresse personnelle. Heureusement, je parvins à me tirer d'affaire. Mais pas moyen de lui soutirer ses petits secrets. Pas un mot sur ce qu'il y avait dans la lettre que je lui avais écrite. Bien entendu, elle ne me révéla pas non plus qu'elle avait invité Robert Miller dans son joli restaurant.

À vingt et une heures quinze, alors que nous mangions notre curry et que Mlle Bredin m'expliquait pourquoi elle ne croyait pas aux hasards, Silvestro me rappela.

— Alors, c'est dans la poche ?

Je soupirai et me passai la main dans les cheveux, d'un geste théâtral :

— Non, pas *possible*... Ah, c'est très fâcheux !

Il éclata de rire :

— Ne lâche pas le morceau, mon vieux !

— Je suis navré, Mr Miller, mais ne pourriez-vous pas quand même... faire un saut ici ? – Du coin de l'œil, je vis que Mlle Bredin avait reposé ses couverts et regardait dans ma direction, l'air inquiet. – Oui, nous... euh, je veux dire... j'ai déjà commandé...

— Arrête ton char ! ricana Silvestro. Tu devrais t'entendre. C'est gentiment proposé mais, non, je ne viens pas. Je te souhaite une chouette soirée avec ta poupée.

— Encore deux heures au moins... complètement crevé... aha... hm... hm... Eh bien, dans ce cas, il n'y a rien à faire... Oui... C'est *très* dommage... Entendu...

Vous me faites signe quand vous serez de retour chez vous, commentai-je d'une voix déclinante.

— Allez, accouche, ça suffit, maintenant. *Ciao, ciao !* fit Silvestro avant de raccrocher.

— *Okay...* Non, je comprends tout à fait... *Okay...* Pas de problème... Au revoir, Robert.

Je posai mon portable près de mon assiette et fixai Mlle Bredin droit dans les yeux.

— Miller vient d'annuler, déclarai-je, après avoir pris une profonde inspiration. Il y a un souci. Il ne pourra pas se libérer avant deux heures au moins, et il est déjà épuisé. Il dit que ça ne servirait à rien de se retrouver aussi tard, parce qu'il repart très tôt demain.

Elle serra son verre de vin comme pour se raccrocher à une bouée de sauvetage, et l'espace d'un instant, je craignis qu'elle ne se lève et ne s'en aille.

— Je suis vraiment désolé, affirmai-je, contrit. Ce n'était peut-être pas une bonne idée, finalement.

Elle secoua la tête, sans bouger de sa chaise, et m'assura que je n'y pouvais rien. J'avais mauvaise conscience. Que faire ? Je ne pouvais pas sortir Robert Miller de mon chapeau. Après tout, j'étais déjà là.

Pour consoler Mlle Bredin, j'ironisai gentiment sur sa propension à croire au destin. Je pris même sa main, mais elle la retira et me tapa sur les doigts comme si j'étais un petit garçon mal élevé.

Puis elle me demanda ce que Robert Miller faisait au juste quand il n'écrivait pas de livres, et je lui répondis que je ne savais pas exactement, qu'il était ingénieur et qu'il devait toujours travailler comme consultant pour ce constructeur automobile.

Ensuite, je l'écoutai patiemment m'expliquer ce qu'elle trouvait de si remarquable au bouquin de Robert Miller, combien il était incroyable qu'elle soit tombée dessus au bon moment, et quels passages l'avaient fait rire ou touchée. Flatté, j'écoutais ses douces paroles et je contemplais ses yeux vert foncé qui se faisaient tendres.

Plus d'une fois, je fus tenté de lui avouer que j'étais le seul responsable du salut de son âme. Mais la peur de la perdre avant d'avoir eu l'occasion de la gagner à ma cause était trop grande.

Je feignis donc la surprise lorsqu'elle me confia – hésitante, mais avec une confiance grandissante – les coïncidences reliant le roman, son héroïne et le restaurant.

— Vous comprenez maintenant pourquoi je *dois* voir cet homme ? demanda-t-elle, et je hochai la tête, compréhensif.

Après tout, j'étais le seul à posséder la clé de ce «secret du destin». Un secret dont l'explication était bien plus simple qu'Aurélie Bredin ne le pensait, même s'il devait effectivement tout au destin.

Si, à l'époque, j'avais publié le livre sous *mon* nom et avec *ma* photo, la jeune femme aux yeux verts et au sourire enchanteur, que j'avais aperçue à travers la vitre d'un restaurant et choisie pour héroïne, aurait vu en *moi* l'homme que le destin lui envoyait.

Et tout aurait été pout le mieux dans le meilleur des mondes.

Compte tenu des circonstances, j'étais condamné au mensonge et je luttais contre un écrivain fictif. Enfin, pas *tout à fait* fictif, comme me le rappela douloureusement la question suivante d'Aurélie Bredin.

— Je me demande pourquoi cette femme a quitté Miller, déclara-t-elle, songeuse, en piquant avec sa fourchette les derniers morceaux de curry d'agneau. C'est un ingénieur qui a réussi, ce doit être une personne chaleureuse et bourrée d'humour, sinon, il ne pourrait pas écrire ce genre de livre. En plus de ça, je trouve qu'il a un physique fantastique. Je veux dire, il pourrait être comédien, non ? Pour quelle raison quitte-t-on un homme aussi séduisant ?

Elle vida son verre ; je haussai les épaules et la servis à nouveau. Si elle trouvait que le dentiste avait un physique *fantastique*, les choses se compliquaient pour moi. Heureusement, elle ne rencontrerait jamais ce Sam Goldberg ! Pas si je pouvais l'éviter...

— Qu'est-ce qu'il y a ? Vous avez l'air furibard, tout d'un coup, remarqua-t-elle, amusée. J'ai dit quelque chose qu'il ne fallait pas ?

— Mon Dieu, non ! – Il me semblait qu'il était temps de faire descendre un peu le super-héros si séduisant de son piédestal. – Les apparences sont parfois trompeuses, n'est-ce pas ? commentai-je d'un ton éloquent. Par ailleurs, un physique agréable ne fait pas tout. Pour ma part, je pense que sa femme n'a pas vraiment eu la vie facile avec lui. Quelle que soit l'estime que j'ai pour Miller, en tant qu'auteur.

Mlle Bredin parut ébranlée.

— Pas vraiment eu la vie facile ? Qu'entendez-vous par là ?

— Ah, rien du tout, je raconte des bêtises... Oubliez ce que je viens de dire. – J'éclatai d'un rire bruyant, comme si je voulais masquer ma contrariété d'en avoir trop révélé. Puis je décidai de changer de sujet. – Vous voulez vraiment parler de Robert Miller toute la soirée ? C'est la raison pour laquelle nous sommes ici tous les deux, mais après tout, il nous a posé un lapin. – Je pris la bouteille et me versai du vin. – Ce qui m'intéresse beaucoup plus, c'est de savoir pourquoi une femme aussi ravissante que vous n'est pas encore mariée. Vous avez tant de vices que ça ?

— Aha ! rougit Aurélie. Et vous ?

— Vous me demandez pourquoi un homme aussi ravissant que moi n'est pas encore marié ? Ou quels sont mes vices ?

Aurélie but une gorgée de vin rouge, et un sourire fugitif éclaira son visage. Elle appuya ses coudes sur la table et me regarda par-dessus ses mains croisées.

— Les vices.

— Hm... C'est ce que je craignais. Laissez-moi réfléchir. – Je pris sa main et me mis à compter sur ses doigts. – Je mange, je bois, je fume, je détourne des jolies femmes du droit chemin... Ça vous suffit pour un début ?

Elle retira sa main et rit en hochant la tête. Pendant ce temps, je contemplais sa bouche en me demandant ce que cela ferait de l'embrasser.

Enfin, il ne fut plus question de Robert Miller, mais de nous, et une complicité naissante transforma presque notre rencontre en un vrai rendez-vous. Quand le serveur s'approcha en demandant si nous désirions autre chose, je commandai une nouvelle bouteille de vin. Je m'imaginais déjà au septième ciel lorsqu'un imprévu chamboula le menu de mes intentions romantiques.

Aujourd'hui encore, je me demande si le mystérieux auteur ne serait pas devenu totalement insignifiant, me cédant la place, si cette vieille dame bizarre ne s'était pas invitée à notre table.

— Un, deux, trois, ça, c'est Paris !

Une dizaine de serveurs s'étaient rassemblés en demi-cercle dans un coin de la salle. Ils chantaient à tue-tête cette phrase qui résonnait comme un cri de guerre et qu'on pouvait entendre chaque soir à La Coupole (parfois plusieurs fois), car, parmi les nombreux clients, il y avait toujours quelqu'un pour fêter son anniversaire.

La moitié de la salle leva les yeux lorsque les serveurs, portant un énorme gâteau sur lequel quantité de bougies magiques faisaient jaillir leur lumière tel un petit feu d'artifice, se dirigèrent à la queue leu leu vers la table concernée. Elle se trouvait deux rangées derrière nous, et Aurélie Bredin tendit le cou pour mieux voir.

Brusquement, elle se leva et se mit à faire signe à quelqu'un.

Je me retournai, étonné, et vis une vieille dame guillerette qui portait une robe d'un mauve chatoyant. Attablée seule devant une montagne d'huîtres, elle serrait la main à tous les serveurs. Puis elle regarda dans notre direction et fit signe à son tour, ravie.

— Vous connaissez cette dame ? demandai-je à Aurélie Bredin.

— Oui, bien sûr ! s'exclama-t-elle avec enthousiasme, avant de faire signe à nouveau. C'est Mrs Dinsmore. Je l'ai rencontrée hier au cimetière – vous ne trouvez pas ça *terriblement* drôle ?

Je hochai la tête en souriant. Je ne trouvais pas ça *terriblement* drôle. Il était vingt-deux heures trente et j'avais le sentiment désagréable (mais justifié) que c'en était fini de notre belle intimité.

Quelques minutes plus tard, je faisais la connaissance de Mrs Dinsmore, une Américaine de quatre-vingt-cinq ans qui s'était avancée vers nous, escortée d'un nuage d'Opium. C'était la veuve d'un chef d'orchestre, la mère d'un ingénieur qui construisait des ponts en Amérique du Sud, la grand-mère de trois angelots à boucles blondes et la muse de nombreux artistes qui avaient tous en commun d'avoir fait des fêtes éblouissantes à La Coupole avec Mrs Dinsmore. Et ils étaient tous six pieds sous terre.

Il y a des gens qui s'assoient à votre table et monopolisent immédiatement la discussion. La conversation en cours faiblit peu à peu, tout autre sujet vacille comme une flamme moribonde et au bout de cinq minutes maximum, tout le monde écoute avec fascination les récits et les anecdotes de ces personnages captivants qui, bien qu'indiscutablement très divertissants, sont difficiles à interrompre.

Je crains que Mrs Dinsmore ne *soit* une de ces personnes.

Depuis que l'octogénaire à la permanente gris argenté et aux lèvres maquillées de rouge avait pris place entre nous en s'écriant : « Quelle divine surprise, mon petit ! On va trinquer au Bollinger ! », je n'avais plus eu la moindre occasion de retenir l'attention d'Aurélie Bredin.

On nous servit aussitôt le champagne, dans un seau où flottaient des glaçons, et il apparut rapidement que Mrs Dinsmore était sans conteste la préférée d'Alain, Pierre, Michel, Igor et tous les autres serveurs. Brusquement, notre table devint le centre d'attention des employés de La Coupole. Finie, la tranquillité !

Après deux coupes de champagne, je capitulai et laissai agir sur moi le charisme de la vieille dame, qui parlait sans interruption. J'observais, fasciné, la plume ornant sa petite toque mauve, qui se balançait à chacun de ses mouvements. Aurélie Bredin, qui était pendue aux lèvres de Mrs Dinsmore et semblait y prendre un plaisir prodigieux, me jetait un coup d'œil chaque fois que nous éclations de rire en découvrant les drôles d'expériences vécues par cette lady remarquable. Plus nous buvions, plus je me déridais, et au bout d'un moment, je m'amusais autant que tous les autres.

De temps en temps, Mrs Dinsmore interrompait ses amusants monologues pour désigner l'un ou l'autre des clients de la salle (elle voyait étonnamment bien, pour une vieille dame). Elle nous demanda si nous avions un jour fêté notre anniversaire à La Coupole (« Il faut absolument que vous le fassiez, c'est toujours un plaisir ! »). Puis elle voulut connaître nos dates de naissance (j'appris ainsi que l'anniversaire d'Aurélie Bredin tombait dans deux semaines environ, le 16 décembre) et se mit à battre des mains avec exaltation.

— Le 2 avril et le 16 décembre, répéta-t-elle. Bélier et Sagittaire. Deux signes de feu, un accord parfait !

Je ne m'y connaissais pas particulièrement en astrologie, mais je lui donnai naturellement raison sur ce point. Un moment plus tard, Mrs Dinsmore nous apprenait qu'elle était née le dernier jour du signe du Scorpion, et que les femmes Scorpion étaient à la fois spirituelles et dangereuses.

La Coupole se vidait peu à peu ; il n'y avait plus qu'à notre table qu'on continuait à boire et à rire. Manifestement, Mrs Dinsmore était au mieux de sa forme.

— Vous voyez cette table, par ici ? À moins que ce ne soit là-bas ? Bon, peu importe... Toujours est-il que j'y ai fêté un de mes anniversaires avec Eugène, s'émerveilla Mrs Dinsmore, tandis qu'un des serveurs nous resservait du champagne.

— Eugène qui ? m'enquis-je.

— Ionesco, bien sûr, qui d'autre, précisa-t-elle avec impatience. Ah, il était vraiment d'un comique indescriptible, parfois... pas seulement dans ses pièces ! À présent, le voilà au Montparnasse, le pauvre ! Mais je vais lui rendre visite de temps à autre. – Ses petits yeux vifs devinrent songeurs. – Je m'en souviens encore parfaitement. Ce soir-là – j'ai malheureusement oublié quelle année c'était –, un serveur maladroit a renversé par deux fois du vin rouge sur le veston gris clair d'Eugène. Deux fois, vous vous rendez compte ! Et savez-vous ce qu'il a dit ? Il a dit : « Ça ne fait rien. À bien y réfléchir, la couleur de ce complet ne m'a jamais plu tant que ça ! »

Mrs Dinsmore rejeta la tête en arrière ; elle éclata d'un rire strident et la petite plume sur sa tête s'agita comme si elle était sur le point de s'envoler.

Après cette incursion dans la vie privée d'Eugène Ionesco, une anecdote qui ne devait apparaître dans aucune biographie, Mrs Dinsmore se tourna vers moi.

— Et vous, jeune homme ? Qu'écrivez-vous ? Aurélie m'a dit que vous étiez *écrivain* ! Un merveilleux métier, ajouta-t-elle, sans attendre ma réponse. Je dois avouer que j'ai toujours trouvé les écrivains un *poil* plus intéressants que les comédiens ou les peintres.

Puis elle se pencha vers Aurélie, approchant sa bouche écarlate de l'adorable oreille de Mlle Bredin (qui, je le remarquais maintenant seulement, était un peu décollée), et elle déclara :

— Mon petit, c'est le bon.

Aurélie se mit à rire, la main devant la bouche, et son accès de gaieté me déconcerta tout autant que le fait que la vieille dame me prenne pour un écrivain – mais, au fond, *j'étais* écrivain, même si je n'avais rien d'un grand homme de lettres, et surtout, j'étais le bon. Soulagé, je joignis donc ma voix aux rires des deux femmes.

Mrs Dinsmore leva son verre.

— Vous m'êtes très sympathique, mon garçon, savez-vous ? confia-t-elle en me tapotant la jambe d'une main couverte de bagues ornées de grosses pierres voyantes. Appelez-moi Liz, tout simplement.

Une demi-heure plus tard, nous quittions La Coupole, bons derniers, pour nous partager un taxi. « Liz » insista pour régler la course (« C'est mon anniversaire ! »). Le chauffeur déposa d'abord Mlle Bredin, dont la tête dodelinait contre mon épaule, puis ce fut mon tour, et enfin, celui de Mrs Dinsmore, qui habitait quelque part dans le Marais.

Les choses ne s'étaient pas déroulées comme je l'avais espéré. Pourtant, je n'avais jamais passé une soirée aussi drôle, c'était indiscutable.

Une semaine plus tard, dimanche après-midi, j'étais installé avec Adam Goldberg dans les fauteuils en cuir rouge du café-restaurant Les Éditeurs et je lui parlais d'Aurélie Bredin et de la tournure compliquée qu'avait prise ma vie, ces dernières semaines.

Nous attendions Sam. Le dentiste avait fait le voyage avec Adam, mais il s'était rendu au Champ-de-Mars pour y acheter des miniatures scintillantes de la tour Eiffel pour ses enfants.

— *Oh boy!* s'exclama Adam, après que je lui eus relaté ma soirée à La Coupole et les appels fictifs de Silvestro. Tu avances en terrain miné, j'espère que tu en es conscient. Tu ne pourrais pas mentir un peu moins ?

— Tu peux parler ! répliquai-je. Je me permets de te rappeler que toute cette histoire de pseudonyme et de photo d'auteur, c'était ton idée !

Il était inhabituel pour moi de voir mon ami inquiet, lui que rien n'ébranlait.

— Hé, Adam, qu'est-ce qui se passe ? D'habitude, tu ne rates pas une occasion de me dire que je ne dois pas faire dans mon froc, et là, tu joues les gardiens de la morale.

— D'accord, d'accord, fit Adam en esquissant un geste d'apaisement. Mais jusqu'à présent, on était dans le domaine professionnel. Maintenant, l'affaire prend une tournure très personnelle. Ça ne me plaît pas. – Il se mit à tambouriner sur son accoudoir. – Ça devient dangereux, mon cher, honnêtement. Je veux dire, c'est une *femme*, André. Elle a des *sentiments*.

Que penses-tu qu'il arrivera quand elle comprendra que tu l'as menée par le bout du nez ? Que tu l'as trompée *sciemment* ? Elle va faire des vagues, venir se plaindre à M. Monsignac – après, tu pourras vraiment faire tes cartons.

— Mon plan est en béton, assurai-je en secouant la tête. Aurélie n'apprendra jamais la vérité, à moins que tu ne lui dises quelque chose.

Depuis ma soirée à La Coupole, j'avais eu suffisamment de temps pour réfléchir à la suite des événements. J'avais décidé de faire parvenir à Mlle Bredin une autre lettre de Robert Miller, dans laquelle ce dernier proposerait une date pour le dîner au Temps des cerises : le jour de l'anniversaire d'Aurélie Bredin.

Le courrier devrait venir directement d'Angleterre. J'allais donc le confier à Adam, après la lecture, afin qu'il le jette dans une boîte aux lettres à Londres. Pourquoi Robert Miller ne se montrerait-il pas, une fois de plus ? Je ne m'étais pas encore inquiété de trouver une réponse à cette question. Je savais juste que, ce soir-là, je me présenterais à sa place, pour une raison qu'il me restait à inventer. Quoi qu'il en soit, je me rendais bien compte que, dans ce cas précis, je ne pourrais pas relayer cette nouvelle annulation – qui devait intervenir très rapidement après mon arrivée.

Cela aurait semblé trop suspect.

Assis avec l'agent anglais de Robert Miller dans le café-restaurant où éditeurs et directeurs éditoriaux aimaient se retrouver, pour discuter de littérature plus ou moins grande devant les étagères de livres qui grimpaient aux murs, il me vint subitement une idée qui se mit à me plaire de plus en plus. Mais il fallait encore que je la peaufine un peu, pour qu'Adam Goldberg soit de la partie. Je la gardai donc pour moi et j'écoutai mon ami me faire part de ses doutes.

— Et si ta chérie entend parler de la lecture et qu'elle vient ? On ne peut pas mettre mon frère au courant de ton tissu de mensonges amoureux, ça devient trop compliqué. Sam a déjà eu du mal à cacher à sa femme le véritable motif de son voyage à Paris. Et, avant que tu ne poses la question : non, il ne s'est pas rasé. Ma belle-sœur adore sa barbe. S'il s'était rasé, elle aurait pu penser qu'il avait une maîtresse, et Sam ne voulait pas courir le risque.

— *Okay*, je capitule. Au fond, il n'y a pas de mal à ce qu'un auteur se laisse pousser la barbe, si ? Mais il ne faut pas qu'il s'emmêle les pinceaux. Il n'a pas de femme. Il vit seul dans son cottage stupide avec son petit chien Rocky – tu te souviens ?

(À l'époque où nous rédigions la biographie de l'auteur, Adam s'était montré particulièrement fier de l'invention de «Rocky». «Les femmes ont un faible pour les mignons petits chiens, avait-il assuré. Il va avoir beaucoup de succès ! »)

— Tu n'auras qu'à le lui répéter toi-même, s'agaça Adam en regardant l'heure. Mais qu'est-ce qu'il fait ?

Nous eûmes tous les deux le réflexe de regarder en direction de fa porte, mais Sam Goldberg prenait tout son temps. Adam but une gorgée de son scotch et s'adossa à son fauteuil.

— Quelle plaie qu'on ne puisse plus fumer nulle part ! Je n'aurais jamais cru que les Français se soumettraient à ce point. « Liberté toujours », hein ?

— Oui, pas de chance. Ton frère connaît le contenu du roman, au moins ?

Adam opina du chef, avant d'exprimer à nouveau ses craintes :

— Alors, que feras-tu si Mlle Bredin a vent de la lecture ?

J'éclatai d'un rire condescendant.

— Adam... Elle est *cuisinière*. Elle a lu un livre un jour, et le hasard a voulu que ce soit *mon* livre. Elle n'est pas du genre à courir les lectures, tu vois ? En plus, ça va se passer dans une petite librairie de l'île Saint-Louis. Ce n'est pas vraiment son quartier. Même si elle découvrait l'interview dans *Le Figaro*, elle paraîtra le lendemain au plus tôt, et à ce moment-là, abracadabra ! tout sera déjà fini.

Pour la première fois de ma carrière, j'étais heureux que le marketing ne se soit pas révélé « optimal », pour reprendre le terme de Michelle Auteuil. « Même si Robert Miller n'est pas complètement inconnu, les librairies ne se l'arrachent pas, pas *encore*. » Elle avait eu un air de regret derrière ses lunettes noires. « Dans ces conditions, nous pouvons être très satisfaits d'être accueillis par la Librairie Capricorne. Son propriétaire est un vieux monsieur charmant qui fait régulièrement le réassort du roman, et il possède sa clientèle d'habitués. Sa boutique sera certainement pleine. »

Je trouvais aussi que nous pouvions être très satisfaits.

Adam n'était pas totalement convaincu.

— Abracadabra, répéta-t-il, et avec son accent anglais, la formule sonna bizarrement. Que Dieu t'entende, Andy. Je me demande quand même s'il ne vaudrait pas mieux mettre en sommeil cette histoire avec ta Mlle Bredin. Elle me semble un peu exaltée, d'après ce que tu m'as raconté. Plutôt *étrange*. Tu ne peux pas laisser tomber, tout simplement ?

— Non.

— *Okay*.

Nous nous tûmes un moment.

— Comprends-moi, Adam, repris-je finalement. Ce n'est pas n'importe quelle femme. C'est *la* femme ! *The one and only*. Et elle n'est pas du tout *étrange* – elle a juste beaucoup d'imagination et elle croit aux puissances supérieures. Au kismet.

Je versai trois cuillerées de sucre dans mon expresso et bus une gorgée du breuvage chaud.

— Le kismet... soupira Adam.

— Oui, qu'est-ce qu'il y a de mal à ça ? De toute façon, je vais bientôt faire mourir Robert Miller. Dès que j'aurai mangé au Temps des cerises, ce bon vieux Miller quittera la scène.

— Tu veux dire que tu n'écriras plus ? s'alarma Adam en se redressant.

— Parfaitement. Cette double vie est beaucoup trop stressante. Je ne suis pas James Bond.

— Tu débloques ? Tu veux jeter l'éponge, maintenant que ton roman décolle ? Vous en avez vendu combien, déjà ? Cinquante mille ? Fais preuve d'un peu de logique. Tu écris bien et tu serais un imbécile de ne pas creuser encore le filon, il a du potentiel. En plus, l'international commence à se réveiller. J'ai sur mon bureau les premières offres en provenance d'Allemagne, d'Espagne et des Pays-Bas. Et ça ne va pas s'arrêter là, crois-moi. Le second roman atteindra vite des sommets. On en fera un best-seller.

— Pour l'amour de Dieu ! On croirait entendre Monsignac.

— Tu ne veux pas de best-seller ? s'étonna Adam.

— Pas dans ces conditions. Je tiens à ma tranquillité. Tu viens de me dire que tous ces mensonges étaient très dangereux, et maintenant, tu veux poursuivre ce petit jeu ?

Adam eut un sourire distingué de gentleman anglais.

— C'est que je suis un professionnel.

— Tu as la folie des grandeurs, oui ! Comment t'imagines-tu l'avenir ? L'auteur écrit ses romans quelque part au bout du monde ? En Nouvelle-Zélande ou au pôle Nord ? À moins qu'on demande à ton frère de prendre l'avion chaque fois ?

— Si les choses marchent du tonnerre, on pourra dire la vérité un jour, décréta Adam en s'adossant à son fauteuil, décontracté. Le moment venu, on en fera une histoire fantastique. Il faut que tu piges une bonne fois pour toutes comment le secteur fonctionne, André : le succès te donne toujours raison. Pour ma part, je trouve que Robert Miller *doit* continuer à écrire.

— Il faudra me passer sur le corps. Un bon auteur est un auteur mort.

— *Hi, fellows*, intervint Samuel Goldberg. Vous parlez à propos de moi ?

Sam Goldberg était entré sans se faire remarquer et il devait avoir entendu la dernière partie de notre discussion houleuse. Mon alter ego se dressait devant nous, vêtu d'un duffel-coat bleu foncé, coiffé d'une casquette à carreaux écossais, les bras chargés de petits sacs en plastique remplis de tours Eiffel et de boîtes pastel de chez Ladurée.

Je le détaillai avec curiosité. Il avait des cheveux blonds coupés court et des yeux bleus comme son frère. Malheureusement, il était vraiment aussi séduisant que sur la photo. Même s'il devait avoir dans les quarante ans, il possédait cet éclat juvénile que certains hommes ne perdent jamais, quel que soit leur âge. La barbe n'y changeait rien – surtout quand il arborait ce sourire malicieux à la Brad Pitt.

— *Hi*, Sam, tu étais passé où tout ce temps ? – Adam se leva et accueillit son frère en lui tapant amicalement sur l'épaule. – On pensait que tu t'étais perdu.

Sam sourit à nouveau, dévoilant une rangée de dents d'un blanc éclatant. Il était sûrement très crédible dans son métier et j'espérais qu'il serait aussi convaincant en tant qu'auteur.

— Shopping, expliqua-t-il, et je remarquai que sa voix avait le même timbre que celle de son frère. Je devais promettre d'apporter un petit chose à la famille. *Oh dear*, la queue chez cette Ladurée était *so long* ! Je me sentais déjà à la maison. – Il se mit à rire. – Tellement de *Japanese people* et tous voulaient d'acheter des tartelettes et ces choses. – Il indiqua les boîtes de macarons. – Ils sont vraiment aussi délicieux ?

— Je te présente André, fit Adam, et Sam me serra la main.

— C'est gentil de vous voir, déclara-t-il, rayonnant. J'ai beaucoup entendu parler de vous.

Il avait une poignée de main vigoureuse.

— En bien, j'espère, répondis-je, crispé. – Les vieilles formules toutes faites. – Merci beaucoup d'être venu à Paris, Sam. Vous nous tirez vraiment du pétrin.

— *Oh, yes* ! La pétrin, répéta-t-il. Oui, oui. Adam m'a tout parlé. Vous avez fait un terrible chose, *isn't it* ? Je dois dire j'étais très étonné que j'avais écrit un livre. – Il me fit un clin d'œil. – Heureusement, j'ai une bonne humour.

Visiblement, Adam avait fait du bon boulot. Si son frère avait pu s'alarmer lorsqu'il lui avait soumis ce projet inattendu, il semblait maintenant parfaitement détendu.

— Nous sommes comme des... Comment vous dites ? Des frères spirituels ? poursuivit-il. *Well*, j'espère tout va bien fonctionner avec notre petit compote.

Nous nous mîmes à rire tous les trois, avant de nous asseoir. Mon frère spirituel commanda un thé avec du lait et une part de tarte aux pommes, puis il regarda autour de lui.

— *Lovely place*, approuva-t-il.

Au cours des deux heures que nous passâmes à fignoler la nouvelle identité de Sam Goldberg, le frère d'Adam se révéla être une bonne pâte dont le caractère accommodant se résumait à deux mots : *lovely* et *sexy*.

La ville de Paris, les tours Eiffel en plastique doré destinées à ses enfants, la tarte aux pommes qu'il découpait en menus morceaux et mon livre, dont il n'avait lu que le premier chapitre mais dont Adam lui avait détaillé le contenu – tout cela était *lovely*.

Les serveuses du café-restaurant, les étagères de livres montant aux murs, la proposition d'Adam de lui montrer le Moulin rouge, ce soir-là, le vieux téléphone en bakélite noire qui trônait à la réception de son hôtel et, curieusement, ma Rolex antédiluvienne (je la tenais de mon père, elle datait d'une époque où les Rolex avaient encore des bracelets en cuir et un style nettement moins tape-à-l'œil qu'aujourd'hui) – tout cela était *sexy*.

Je me rendis compte avec soulagement que Sam parlait mieux français que je ne m'y attendais.

En général, un Anglais parle anglais et rien d'autre, mais comme les deux frères Goldberg passaient souvent leurs vacances d'été chez un oncle au Canada, enfants, cette langue leur était familière. De par son métier, Adam parlait couramment le français, tandis que son frère le baragouinait, mais son vocabulaire était riche, et apparemment, cela ne le gênait pas de s'exprimer devant un public. Après tout, il avait déjà fait des conférences sur la prophylaxie et le traitement de la parodontite, lors de congrès de dentistes.

Nous discutâmes à fond de l'interview avec *Le Figaro*, qui devait avoir lieu demain matin, puis des quelques passages qu'il aurait à lire le soir, à la librairie. Je lui expliquai le déroulement d'une lecture et lui recommandai vivement de s'entraîner à signer « Robert Miller ».

— Il faut que je l'essaie tout de suite ! s'exclama-t-il, avant de prendre un crayon et une feuille de papier et de tracer son nouveau nom avec entrain, d'une écriture ronde. – Il contempla ta signature avec satisfaction. – Robert Miller... C'est vraiment sexy, vous ne trouvez pas ?

Après la lecture, qui devait débuter à vingt heures et durer tout au plus une heure et demie, un dîner en petit comité était prévu (« Très convivial ! » avait insisté M. Monsignac), auquel prendraient part l'auteur, le libraire (qui avait sûrement lu le livre), Jean-Paul Monsignac (qui n'en connaissait que le début, le milieu et la fin), Michelle Auteuil (qui en avait survolé les épreuves), Adam Goldberg (qui le connaissait en entier) et mon humble personne. Je dois avouer que je frémissais à l'idée de ce dîner *convivial*.

Les lectures dans une librairie obéissent toujours au même schéma : mot d'accueil du libraire, mot de présentation de la maison d'édition (dont je serais responsable), intervention de l'auteur qui se réjouit d'être là, avant de lire quelques extraits. Applaudissements, y a-t-il des questions ? Ce sont invariablement les mêmes : Comment en êtes-vous venu à écrire ce livre ? Il y a dans votre roman un petit garçon qui grandit sans père, êtes-vous ce petit garçon ? Avez-vous toujours voulu devenir écrivain ? Écrivez-vous un nouveau livre ? Quel en est le sujet ? Se déroule-t-il encore à Paris ? Parfois, mais c'est plutôt rare, on a droit à des questions telles que : Quand écrivez-vous (le matin, l'après-midi, le soir, la nuit) ? Où écrivez-vous (devant de la verdure, face à un mur blanc, au café, dans un monastère) ? Et, bien entendu : D'où tirez-vous vos idées ?

Mais, souvent, les gens ne sont pas aussi curieux, ou peut-être trop timides pour s'exprimer, et dans ce cas, le libraire, l'éditeur ou l'animateur prononce une phrase du genre : « J'aurais encore une question », pour parachever les choses. À moins qu'il ne conclue : « Si plus personne n'a de question, je vous remercie d'être venus, et un grand merci, naturellement, à notre auteur qui va maintenant se faire un plaisir de signer vos livres. » Nouveaux applaudissements. Puis les gens s'avancent pour acheter le livre et se le faire dédicacer. Enfin, on prend quelques photos.

Bref, une lecture est une manifestation clairement structurée.

Un dîner en petit comité, en revanche, présentait un caractère nettement plus impondérable, surtout quand on avait quelque chose à cacher. Mes capacités d'anticipation n'étaient pas assez importantes pour pouvoir envisager tous les sujets susceptibles d'être abordés. J'imaginais déjà M. Monsignac demandant soudain à l'Anglais prétendument si francophile : « Vous aimez manger des escargots ? », et ce dernier grimaçant de dégoût. J'espérais qu'on ne parlerait pas trop de livres, car Sam Goldberg n'était pas calé en best-sellers ; on ne pouvait pas exclure qu'il prenne Marc Levy pour un acteur, ou Anna Gavalda pour une chanteuse d'opéra.

D'un autre côté, Sam Goldberg serait flanqué de deux gardes du corps : Adam et moi. Et si le dentiste faisait preuve d'un peu de présence d'esprit, la soirée se déroulerait de façon tout à fait acceptable.

Je conseillai à Sam de se retrancher derrière sa connaissance insuffisante de la langue de Molière s'il se retrouvait confronté à des questions délicates du public, ou pendant le repas, « Oh, *sorry*, je n'ai pas bien compris, que voulez-vous dire ? » devait-il demander naïvement, et l'un de nous prendrait le relais.

Il était important qu'il soit vigilant sur les points suivants, que nous ne cessions de lui rabâcher : il vivait *seul* dans son cottage. Nous nous étions mis d'accord pour le situer dans la ville pittoresque de

Tunbridge Wells. («*Lovely place*», déclara Sam, puis : «Comme c'est triste que je ne peux pas avoir de *family*.»)

Son chien Rocky était un yorkshire-terrier et pas un golden retriever, comme le pensait Sam qui s'était trompé de race, et il était gardé par un gentil voisin.

À la question de savoir si son livre présentait des éléments autobiographiques, il devait répondre : «Ah, vous voyez, tous les livres sont autobiographiques, d'une façon ou d'une autre. Bien entendu, il contient des choses que j'ai vécues personnellement, d'autres que j'ai juste entendues ou qui sont inventées.»

Il venait très souvent à Paris quand il travaillait encore pour le constructeur automobile qui l'employait, mais pour l'instant, il avait besoin de beaucoup de calme et de nature, et il appréciait son cottage isolé.

Recevoir des journalistes à son domicile serait pour lui la pire des horreurs. (Ce point était une mesure de précaution, au cas où il se trouverait aux prises avec Michelle Auteuil.)

Il ne courait pas les soirées.

Il aimait la cuisine française.

Il songeait à un second roman ayant Paris pour toile de fond, mais son écriture lui prendrait encore beaucoup de temps (surtout (!) ne donner aucune indication concrète sur le contenu).

Il collectionnait les voitures anciennes.

J'estimais que le risque qu'un écrivain se retrouve mêlé à une discussion sur les autos, en France, était relativement faible. Cela ne m'empêcha pas de remettre à Sam un beau livre traitant des voitures de collection, au moment de prendre congé.

— On se voit demain soir, alors, répétai-je, tandis que nous nous tenions tous les trois devant le café-restaurant et que Sam Goldberg balançait ses sachets avec entrain.

Les deux frères voulaient retourner à leur hôtel avant d'écumer Paris, ce soir-là, et je ne voulais qu'une chose : rentrer chez moi.

— Ce serait bien que vous puissiez être là une demi-heure plus tôt, ajoutai-je après avoir pris une profonde inspiration. Ça ne va pas mal tourner, hein ?

— Tout ira bien, me rassura Adam. On sera très ponctuels.

— *Yes, we'll rock it !* confirma Sam.

Et nos chemins se séparèrent.

Les catastrophes majeures ont toujours leurs signes avant-coureurs. Mais, souvent, on les ignore. Le lendemain matin, tandis que je me rasais dans la salle de bains, j'entendis brusquement un grand *boum* ! Je courus pieds nus dans le couloir sombre et marchai sur un bout de verre, avant même de comprendre ce qui s'était passé.

Le lourd miroir ancien accroché près du porte-manteau était tombé, le cadre en ronce de noyer était cassé et il y avait des éclats de verre et des débris de bois partout. Je retirai en jurant le bout de verre de mon pied en sang et je boitai jusqu'à la salle de bains pour y chercher un pansement.

« Il résisterait à un tremblement de terre », avait assuré mon ami Michel en fixant le miroir, que j'avais acheté quelques semaines plus tôt seulement au marché aux puces de Saint-Ouen, et transporté en métro depuis la porte de Clignancourt.

Les personnes superstitieuses affirment qu'un miroir qui se brise porte malheur. Grâce à Dieu, je n'étais pas superstitieux. Je me contentai donc d'en balayer les morceaux en pestant, avant de prendre le chemin du bureau.

À midi, je retrouvai Hélène Bonvin, l'auteure victime d'une panne d'inspiration, au Café de Flore. Installé au premier étage, devant un assortiment de fromages, je parvins enfin à la convaincre que j'appréciais ce qu'elle avait écrit jusqu'à présent (« Vous ne dites pas ça pour me rassurer, monsieur Chabanais ? »). Après lui avoir soufflé quelques idées pour la suite de son roman, je me hâtai de rejoindre les Éditions Opale.

Quelques secondes plus tard, Mme Petit entrait dans mon bureau pour m'informer que ma mère avait téléphoné et demandait que je la rappelle au plus vite.

— Ça avait l'air *vraiment* urgent, insista madame Petit, remarquant mes sourcils froncés.

— Ah oui ? Avec ma mère, c'est *toujours* urgent, un voisin a encore dû tomber de son échelle. J'ai une lecture ce soir, madame Petit, je ne peux pas, là.

Une demi-heure plus tard, j'étais assis dans un taxi, en route pour l'hôpital. Cette fois, il ne s'agissait pas d'un voisin.

Ma mère avait décidé de se rendre à Paris sur un coup de tête, et elle avait dévalé un escalator des Galeries Lafayette avec toutes ses emplettes.

Elle m'attendait dans le service de traumatologie, la jambe cassée, maintenue par une attelle. En me voyant arriver, elle eut un sourire hésitant. Elle avait l'air toute petite sous sa couverture, et mon cœur se serra.

— Maman, qu'est-ce que c'est que cette histoire ? demandai-je avant de l'embrasser.

— Mon petit boubou... soupira-t-elle. Je savais que tu viendrais tout de suite.

Je hochai la tête, honteux. Lorsque ma mère avait téléphoné une seconde fois, au bout d'une heure, pour donner l'adresse de l'hôpital, Mme Petit avait eu la gentillesse de faire comme si je venais de rentrer. Puis elle m'avait fixé avec un air de reproche : «Je vous l'avais dit, monsieur Chabanais, maintenant, faites vite ! »

Je pris la main de ma mère et me jurai de toujours la rappeler, désormais. Même brièvement. Mon regard s'attarda sur sa jambe blessée, qui reposait sur la couverture.

— Tu as mal ?

— Ça va mieux. Ils m'ont fait prendre un calmant, mais ça me donne envie de dormir.

— Qu'est-ce qui s'est passé ?

— Ah, tu sais, en décembre, les Galeries sont toujours décorées avec tellement de goût ! – Elle avait les yeux brillants à cette seule évocation. – Alors, je me suis dit que j'allais admirer tout ça, manger un morceau et faire quelques achats de Noël. Après, je ne sais pas comment, je me suis emberlificotée dans tous mes sacs, sur l'escalier mécanique, et je suis tombée en arrière. Ça s'est passé très vite.

— Bonté divine ! Il aurait pu se passer n'importe quoi !

— Un ange gardien devait veiller sur moi.

J'aperçus alors, devant l'étroit placard placé à côté du lit, une paire de chaussures à bride marron, avec des talons fins.

— Tu avais ces chaussures-là ?

Ma mère resta silencieuse.

— Maman, c'est l'hiver, toute personne sensée met de *bonnes* chaussures, et tu fais tes emplettes de Noël en talons *hauts* ? Sur l'escalator ?!

Elle me fixait, la mine coupable. Nous avions eu cette discussion très souvent. Je lui conseillais de porter de bonnes chaussures, *adaptées* à son âge, mais elle ne voulait pas en entendre parler.

— Enfin, maman, tu es une vieille dame ! Il faut que tu sois un peu plus prudente, tu sais ?

— Je n'aime pas ces souliers de grand-mère, maugréa-t-elle. Je suis peut-être vieille, mais j'ai encore de très belles jambes, non ?

Je secouai la tête en souriant. Ma mère avait toujours été incroyablement fière de ses jambes galbées.

Et malgré ses soixante-quatorze ans, elle restait coquette.

— Oui, bien sûr qu'elles sont très belles. Mais quelle utilité si elles sont cassées ?

Je restai deux heures auprès de ma mère, puis je lui achetai des fruits, des jus, quelques magazines et un nécessaire de toilette, avant de retourner aux Éditions Opale pour y prendre mes dossiers.

Il était déjà dix-sept heures trente et cela ne valait plus la peine que je passe chez moi. Je décidai donc de me rendre à la librairie en faisant un crochet par le bureau. Mme Petit était partie lorsque j'arrivai, mais au moment d'éteindre la lumière, je découvris un Post-it collé sur ma lampe.

Comment va votre mère ? avait-elle écrit. Et dessous : *Une certaine Amélie Bredin demande que vous la rappeliez.*

Aujourd'hui encore, je me demande pourquoi, à cet instant-là au moins, toutes les sonnettes d'alarme ne se mirent pas à retentir. Mais je ne vis pas les signes.

Toutes les places de la petite librairie, rue Saint-Louis-en-l'Île, se remplissaient. Je me trouvais dans une espèce de kitchenette, aux côtés de Pascal Fermier, le propriétaire de la Librairie Capricorne. Derrière le rideau gris foncé qui séparait l'arrière-boutique du reste de la librairie, je regardais le public s'installer. Les catalogues de toutes sortes de maisons d'édition s'entassaient sur le sol, quelques tasses à café et des assiettes s'empilaient dans une étagère fixée au-dessus de l'évier. Des cartons s'amoncelaient jusque sous le plafond, près d'un réfrigérateur qui bourdonnait.

Robert Miller alias Sam Goldberg se tenait près de moi et se cramponnait à un verre de vin blanc.

« *How lovely !* » s'était-il exclamé en pénétrant, une heure plus tôt, dans la charmante boutique de M. Fermier. À présent, la tension montait et il ne parlait presque plus. Il ne cessait d'ouvrir le livre aux endroits que j'avais marqués à l'aide de Post-it rouges.

— Bravo, fis-je en me tournant vers le vieux libraire aux cheveux gris. C'est plein !

Fermier hocha la tête, radieux.

— Je vends très bien le roman de M. Miller, depuis le début. Quand j'ai accroché l'affiche en vitrine, la semaine dernière, beaucoup d'habitants de notre quartier se sont montrés intéressés. Mais je ne m'attendais pas à ce qu'autant de gens se déplacent.

Il s'adressa à Sam qui fixait un point devant lui, concentré.

— Apparemment, vous avez beaucoup de fans, monsieur Miller. J'apprécie que vous ayez pu venir.

Il sourit aux premiers rangs et se dirigea vers une petite table en bois, posée sur un plancher légèrement surélevé, à l'arrière de la pièce principale. Dessus, un micro, un verre et une carafe d'eau. Derrière, une chaise.

— C'est parti. Pas de panique, je serai assis tout près, expliquai-je en indiquant une seconde chaise placée sur l'estrade.

— J'espère de ne rien faire à l'envers, s'inquiéta Sam après s'être raclé la gorge.

— Ça va aller, lui assurai-je tandis que Pascal Fermier tapotait le micro, et je pressai son bras. Encore merci !

Je rejoignis M. Fermier. Le libraire attendit que les chuchotements et les bruits de chaises s'évanouissent, puis il souhaita sobrement la bienvenue aux personnes présentes et me tendit le micro. Je le remerciai et regardai le public.

La moitié de notre maison d'édition était assise au premier rang. Les lecteurs étaient là au grand complet, même Mme Petit trônait sur une chaise ; vêtue d'un caftan rouge foncé, elle s'entretenait avec Adam Goldberg. Jean-Paul Monsignac, qui portait un nœud papillon, cette fois, s'était installé à côté de Florence Mirabeau qui paraissait au moins aussi excitée que Sam Goldberg. Ce devait être la première fois qu'elle assistait à une lecture.

Quant à Michelle Auteuil, royale, en noir comme toujours, elle se trouvait à l'extrémité de la rangée, près du photographe. « Il est adorable, votre Miller, ça s'est extraordinairement bien passé avec les journalistes », m'avait-elle glissé avec satisfaction lorsque j'étais entré dans la librairie.

Je pris une profonde inspiration avant de me lancer :

— Mesdames, messieurs, je voudrais vous présenter aujourd'hui un auteur qui a choisi notre belle ville pour toile de fond de son merveilleux roman.

En ce moment, il pourrait être confortablement assis au coin du feu, dans son cottage anglais, mais il s'est donné la peine de venir nous voir ce soir pour nous lire des extraits de son livre. Son roman a pour titre : *Le Sourire des femmes*, mais il pourrait tout aussi bien s'appeler *Un Anglais à Paris*, car il relate ce qu'il advient quand un Anglais doit promouvoir en France une marque automobile anglaise, et plus encore quand il tombe amoureux d'une Française. Accueillez avec moi... Robert Miller !

Le public applaudit et regarda l'homme mince et agile s'incliner brièvement et prendre place derrière la table.

— Eh bien... fit Robert Miller avec un sourire, en s'adossant à sa chaise. Je suis confortable dans mon cottage, mais je dois dire je trouve les lieux très accueillantes.

Ce furent ses premiers mots.

Quelques rires bienveillants s'élevèrent.

— Vraiment, poursuivit Robert Miller, encouragé. Cette librairie est comme ma... euh... salon, excepté que je n'ai pas tellement des livres. – Ses yeux firent le tour de la pièce. – *Wow !* C'est si sexy.

Je me demandai ce qu'on pouvait bien trouver de sexy à une librairie – était-ce de l'humour anglais ? – mais le public apprécia.

— *Anyway.* Je voudrais vous remercier pour être venus. Malheureusement, je ne parle pas aussi bon français que vous, mais pas si mauvais pour un Anglais. – Nouveaux rires. – Bon, reprit Robert Miller en ouvrant mon livre. On va commencer.

Ce fut une lecture très divertissante. Stimulé par les réactions de ses fans, le frère d'Adam atteignit des sommets. Il lut quelques extraits, écorcha le français pour notre plus grand amusement et s'autorisa de petites blagues, devant des auditeurs enthousiastes. Je dois avouer que je n'aurais pas fait mieux.

À la fin, des applaudissements frénétiques éclatèrent et je me tournai vers Adam, qui me fit un clin d'œil complice et leva le pouce en l'air. M. Monsignac battit joyeusement des mains, avant de murmurer quelque chose à Mlle Mirabeau qui était restée suspendue aux lèvres de l'auteur pendant toute la lecture. Puis le public posa les premières questions, auxquelles Robert Miller répondit avec brio. Toutefois, lorsqu'une charmante blonde assise au cinquième rang s'enquit de la sortie d'un second roman, il dérogea à notre ligne de conduite.

— Oh oui ! Il y aura un nouveau roman, *of course*, il est presque fini, assura-t-il avec un certain narcissisme, oubliant sans doute, l'espace d'un instant, qu'il n'était pas un auteur.

— De quoi parlera votre nouveau livre, monsieur Miller ? Est-ce qu'il se passera encore à Paris ?

— Oui, bien sûr ! J'aime cette belle ville. Cette fois, mon héros est un dentiste anglais, en congrès à Paris, qui tombe amoureux avec une danseuse du Moulin rouge, inventa-t-il.

Je toussai pour le mettre en garde. Visiblement, son équipée nocturne de la veille avait nourri son inspiration.

Miller me jeta un regard en coin.

— *Well*, je n'ai pas le droit de tout révéler, sinon mon *editor* me gronde et plus personne achète ma nouvelle livre, ajouta-t-il avec une grande présence d'esprit.

M. Monsignac rit tout haut, et beaucoup d'autres avec lui. Je tentai de sourire, moi aussi, mais je ne tenais plus en place sur ma chaise. Tout avait marché comme sur des roulettes jusqu'à présent, mais il fallait maintenant que le dentiste conclue. Je me levai.

— Pourquoi vous êtes-vous laissé pousser la barbe, monsieur Miller ? Vous avez quelque chose à cacher ? intervint alors avec impertinence une jeune fille à la queue-de-cheval, assise tout au fond, avant de glousser avec ses amies.

Miller caressa pensivement son épaisse barbe blonde.

— Eh bien, vous êtes encore très jeune, mademoiselle, répliqua-t-il. Sinon, vous auriez su qu'aucun homme n'aime d'être démasqué. Mais... – Il fit une petite pause lourde de sous-entendus – ... si vous demandez si je ne suis pas du Secret Service, malheureusement je dois vous décevoir. C'est beaucoup plus simple... J'ai une merveilleuse... – Il hésita, et je retins mon souffle. Il n'allait quand même pas parler de sa femme ? une merveilleuse rasoir électrique, reprit-il, et je me remis à respirer, soulagé. Et un jour, elle était cassée.

Tout le monde rit ; je m'approchai de Miller et lui serrai la main.

— C'était fantastique, un grand merci, Robert Miller, déclarai-je avant de me tourner vers le public qui applaudissait avec fougue. Si plus personne n'a de question, l'auteur va maintenant se faire un plaisir de signer son roman.

Les applaudissements décrurent peu à peu. Les premiers spectateurs se levaient pour s'avancer vers l'estrade, lorsqu'une voix claire, un peu essoufflée, retentit brusquement.

— J'aurais encore une question, s'il vous plaît, dit la voix, et mon cœur cessa un instant de battre.

Au fond de la pièce, à gauche, tout près de l'entrée, se tenait... Mlle Aurélie Bredin.

J'ai déjà animé un grand nombre de lectures dans ma vie – dans des librairies bien plus grandes et plus importantes, avec des auteurs bien plus célèbres que Robert Miller.

Pourtant, je n'ai jamais autant sué sang et eau que ce lundi soir-là, dans la petite Librairie Capricorne.

La fatalité, surgie de nulle part, s'approchait inexorablement, vêtue d'une robe de velours rouge foncé, les cheveux relevés.

— Monsieur Miller, êtes-vous réellement tombé amoureux d'une Parisienne, comme le héros de votre livre ? demanda-t-elle, un léger sourire aux lèvres.

Robert Miller me fixa, désarçonné. Je fermai les yeux avec résignation et m'en remis à Dieu.

— Eh bien... euh... – Je sentis que le dentiste perdait pied en voyant s'avancer la jeune femme. – Comment dire... Les femmes à Paris sont juste... tellement... charmeuses... et c'est très difficile de les résister... – Manifestement, il s'était ressaisi ; il afficha son sourire de petit garçon innocent avant d'achever sa phrase. – ... mais je crains je dois me taire à propos de ça, je suis un gentleman, *you know* ?

Il s'inclina légèrement et les spectateurs applaudirent à nouveau, tandis que M. Monsignac bondissait pour féliciter son auteur et se faire photographier avec lui.

— Venez, André, me lança-t-il en faisant de grands gestes. Il faut que vous soyez sur la photo !

Je rejoignis en chancelant mon directeur éditorial, qui passa les bras autour de Robert Miller et de mes épaules, et murmura, ravi :

— Il est incroyable, cet Anglais !

Je hochai la tête et me forçai à sourire pour la photo, tout en observant avec anxiété les gens qui se mettaient à faire la queue pour obtenir une dédicace. La femme en robe de velours rouge venait de prendre place au bout de cette file.

Alors que Robert Miller se rasseyait et commençait à signer, je pris Adam à part.

— *Mayday, Mayday*, chuchotai-je, tendu comme un arc.

— Je ne comprends pas, tout a marché du tonnerre, s'étonna-t-il.

— Adam, elle est ici, précisai-je doucement, et j'entendis que ma voix menaçait de se casser. *Elle !*

Adam pigea aussitôt.

— Bonté divine ! Pas *the one and only*, quand même ?

— Si, précisément, confirmai-je en attrapant son bras. C'est la femme en robe de velours rouge, au bout de la queue, là... Tu vois ? Adam, il ne faut surtout pas qu'elle ait l'occasion de parler avec ton frère, tu m'entends ! On doit empêcher ça.

— *Okay*. Allons occuper nos postes.

Quand Aurélie Bredin posa finalement son livre sur la table derrière laquelle se tenait Robert Miller – flanqué d'Adam et de moi –, mon cœur se mit à battre la chamade.

Elle me fixa froidement, sourcils froncés. Je murmurai un « Bonsoir », mais elle ne m'adressa pas la parole. Elle m'en voulait visiblement et ses petites boucles d'oreilles, des perles en forme de goutte, s'agitèrent, menaçantes, lorsqu'elle se détourna. Puis elle se pencha vers Robert Miller et son visage s'éclaira.

— Je suis Aurélie Bredin, déclara-t-elle, et je poussai un léger soupir.

Le dentiste lui sourit amicalement, sans comprendre.

— Vous avez une souhait particulière ? demanda-t-il, en vieux routier de l'édition.

— Non, fit-elle en souriant à son tour.

Ensuite, elle le regarda avec insistance.

Robert Miller alias Sam Goldberg se réjouissait manifestement de l'attention que lui témoignait la jolie femme aux cheveux relevés. Il prit le livre ouvert devant lui et réfléchit un moment.

— Pourquoi pas «Pour Aurélie Bredin, bien amicalement, Robert Miller»? Ça vous va? – Il s'appliqua à signer et lui tendit le livre. – Tenez!

Aurélie Bredin referma le livre sans jeter un seul coup d'œil à la dédicace, et lui adressa un nouveau sourire.

Le regard de Sam s'attarda quelques secondes sur sa bouche, appréciateur.

— Puis-je vous complimenter, mademoiselle? Vous avez vraiment des dents *magnifiques*.

Elle rougit et se mit à rire, étonnée.

— C'est la première fois qu'on me fait ce genre de compliment.

Elle ajouta alors, et mon cœur fit un bond dans ma poitrine:

— Quel dommage que vous n'ayez pas pu venir à La Coupole, j'étais là, moi aussi.

C'était au tour de Sam Goldberg d'être étonné, Il était évident qu'il gambergeait sérieusement. Je n'aurais pas été surpris que notre dentiste tienne La Coupole pour un de ces établissements où se produisent des danseuses aux longues jambes, des touffes de plumes collées au postérieur. Toujours est-il qu'il fixa Aurélie Bredin, les yeux vitreux, comme s'il essayait de se rappeler quelque chose, avant d'avancer prudemment:

— Oh, oui... La Coupole! Il faut absolument que j'y aille. *Lovely place, very lovely!*

Aurélie Bredin était visiblement irritée, le rose de ses joues vira à l'écarlate, mais elle fit une nouvelle tentative.

— J'ai reçu votre lettre la semaine dernière, monsieur Miller. Ça m'a fait énormément plaisir que vous me répondiez.

Elle le regarda, pleine d'espoir.

Tout cela n'était pas prévu au scénario. Des taches rouges apparurent sur le front de Sam Goldberg et je me mis à transpirer à grosses gouttes. Incapable de prononcer la moindre phrase, j'entendis, impuissant, le dentiste bredouiller avec embarras :

— *Well...* je l'ai... je l'ai fait avec... avec plaisir... Vous savez... je... je...

Il cherchait des mots qui se dérobaient.

Je lançai un regard implorant à Adam, qui consulta ostensiblement sa montre et se pencha vers son frère.

— *Sorry*, monsieur Miller, mais il faut qu'on y aille. N'oubliez pas le dîner.

Mon hébétement céda la place au désir panique d'arracher le dentiste à Aurélie Bredin, et je trouvai enfin l'énergie d'intervenir :

— Oui, on est *vraiment* en retard.

J'empoignai Sam Goldberg par le bras et le soulevai littéralement de son siège.

— Je suis désolé, on doit partir, insistai-je en considérant Aurélie Bredin d'un air d'excuse. Tout le monde nous attend.

— Ah, monsieur Chabanais, déclara-t-elle, comme si elle remarquait seulement ma présence. Un grand merci de m'avoir invitée à cette lecture.

Ses yeux verts lancèrent des éclairs, tandis qu'elle s'écartait pour nous laisser passer.

— C'était un plaisir de vous rencontrer, monsieur Miller, reprit-elle en tendant la main à un Sam déconcerté. J'espère que vous n'oublierez pas notre rendez-vous.

Elle sourit et glissa derrière son oreille une mèche blond foncé qui s'était échappée de sa barrette. Sam la fixait, muet.

— Au revoir, mademoiselle, finit-il par répondre, et avant qu'il ne puisse ajouter quelque chose, je le poussai à travers la foule des clients qui enfilaient leurs manteaux et discutaient.

— Qui... *qui* est cette femme ? demanda-t-il à voix basse, sans cesser de se retourner en direction d'Aurélie Bredin qui se tenait devant l'estrade, le livre serré contre sa poitrine, et le suivit du regard jusqu'à ce que nous ayons quitté la librairie.

Minuit était passé depuis longtemps lorsque je demandai à Bernadette de m'appeler un taxi. Après la mémorable lecture qui s'était tenue dans la Librairie Capricorne, nous étions passées chez elle pour boire un verre. J'en avais bien besoin.

Je dois avouer que j'avais été plutôt troublée de voir Robert Miller s'éloigner, en regardant sans cesse par-dessus son épaule, avant de sortir de la librairie avec André Chabanais et un autre homme en costume beige, le pas hésitant.

— Tu sais ce que je ne comprends pas ? m'avait confié Bernadette, alors que nous ôtions nos chaussures pour nous installer sur son grand canapé, face à face. Tu lui as écrit une lettre, il t'a écrit une lettre, et là, il te fixe comme si tu étais une apparition, il ne réagit même pas, comme si ton nom ne lui disait rien. Je trouve ça plutôt étrange.

— Je ne me l'explique pas bien non plus, avais-je répondu en tentant, une fois encore, de me remémorer tous les détails de mon court échange avec

Robert Miller. Tu vois, il avait l'air tellement... tellement déconcerté. Presque à côté de ses pompes. Comme si tout ça lui échappait. Peut-être qu'il ne s'attendait pas à ce que j'assiste à sa lecture.

Bernadette avait bu un peu de vin et plongé la main dans une coupelle remplie de noix de macadamia.

— Hm... avait-elle fait en mâchant, songeuse. Pourquoi veux-tu qu'il soit déconcerté ? Franchement, c'est un auteur, il ne peut quand même pas s'étonner qu'une femme, qui trouve son livre si génial qu'elle veut l'inviter à dîner, vienne à sa lecture.

J'avais complété sa phrase en silence : *Une femme qui lui a envoyé une photo d'elle*. Mais Bernadette n'en savait rien, et je n'avais pas l'intention de lui en toucher un mot.

— Quand j'ai évoqué notre rendez-vous, il s'est contenté de me regarder bizarrement. – Brusquement, une idée m'était venue. – Tu ne crois pas qu'il était gêné qu'une partie de la maison d'édition soit juste à côté ?

— Ça me semble peu probable... Il ne m'a pas vraiment paru timide. Rappelle-toi la façon dont il a paré aux questions !

Bernadette avait retiré sa barrette. Je l'avais vue passer les mains dans ses cheveux blond clair, qui brillaient dans la lumière du lampadaire se dressant à côté du canapé.

— Tu trouves que ça me change beaucoup d'avoir les cheveux relevés ? m'étais-je enquise.

Bernadette avait éclaté de rire.

— *Moi*, en tout cas, je te reconnaîtrais toujours. Pourquoi tu demandes ça ? Parce que la femme du livre qui te ressemble ne les attache pas ? – Elle avait haussé les épaules et s'était adossée à l'accoudoir. – Il parlait de cette lecture dans sa lettre ?

— Non, mais la date ne devait pas encore être fixée quand il m'a écrit, c'est possible, après tout. – J'avais pris à mon tour une poignée de noix dans la coupelle. – Ce que je trouve fort de café, en revanche, c'est que ce Chabanais ne m'en a pas dit un seul mot. – J'avais croqué dans une noix. – Il m'a regardée avec un air coupable quand j'ai surgi.

— Il avait peut-être oublié, tout simplement.

— Oublié ! m'étais-je emportée. Après cette soirée de dingues qu'on a passée à La Coupole ? Alors qu'il m'avait fait venir *spécialement* pour Miller ? Je veux dire, il *savait* que c'était important pour moi.

Sans Bernadette, je n'aurais jamais appris que Robert Miller était à Paris. Mais, comme mon amie habitait l'île Saint-Louis, elle achetait souvent des livres chez l'adorable M. Chagall, qui s'appelait en réalité Pascal Fermier, et c'est ainsi que, le matin même, elle avait aperçu l'affiche apposée sur sa vitrine.

La matinée était froide et ensoleillée, et nous avions décidé de nous promener aux Tuileries. Dès son arrivée, Bernadette m'avait demandé si j'irais le soir à la lecture de Robert Miller et si elle pouvait m'accompagner.

— Moi aussi, je veux voir ce phénomène, avait-elle ajouté en me prenant le bras.

Je m'étais écriée :

— Quoi ! Pourquoi cet idiot d'éditeur ne m'a rien dit ?

L'après-midi, je m'étais tendue à la Librairie Capricorne pour m'assurer de la tenue de la lecture. *Une chance que le restaurant soit fermé aujourd'hui !* avais-je pensé en montant les marches de la station de métro.

Un peu plus tard, je poussais la porte de la boutique dans laquelle j'avais pénétré pour la première fois quelques semaines plus tôt, fuyant un policier inquiet.

— Comme on se retrouve ! s'était exclamé M. Chagall en me voyant approcher de sa caisse.

Lui, en tout cas, m'avait reconnue immédiatement.

— Oui. Le roman m'a beaucoup plu.

J'avais considéré comme un bon signe le fait que Robert Miller vienne justement lire dans la librairie où j'avais trouvé son livre.

— Est-ce que vous allez mieux ? s'était inquiété le vieux libraire. Vous aviez l'air perdue, l'autre jour.

— C'était le cas. Mais il s'est passé beaucoup de choses, entre-temps. Beaucoup de belles choses, avais-je ajouté. Et tout a commencé avec ce roman.

Je considérais, songeuse, mon verre de vin rouge.

— Tu vois, Bernadette, je crois que ce Chabanais est complètement lunatique. Il lui arrive d'être tout à fait charmant, d'en faire des tonnes – tu aurais dû le voir à La Coupole –, et après, il redevient désagréable et grincheux. Ou pire, il fait dire qu'il n'est pas là.

Cet après-midi-là, j'avais appelé la maison d'édition pour me plaindre auprès d'André Chabanais. Malheureusement, je n'avais pu joindre que cette secrétaire qui m'avait éconduite ; lorsque je lui avais demandé quand l'éditeur reviendrait, elle avait affirmé d'un ton bourru que M. Chabanais n'avait pas le temps.

— Quoi qu'il en soit, il m'a l'air très sympathique, avait fait remarquer Bernadette.

— C'est vrai. – Je revoyais les yeux bleu clair de l'Anglais qui m'avait regardée, perplexe, alors que je mentionnais le rendez-vous manqué à La Coupole. – Même s'il a une barbe, maintenant.

— Je voulais parler de ce Chabanais. – J'avais jeté un coussin sur Bernadette, qui s'était baissée vivement. – Mais l'Anglais est adorable. Et je dois dire que je suis très sensible à son humour.

— Oui, hein ? – Je m'étais redressée. – La lecture était très drôle. Mais il fait des compliments bizarres. Il a dit que j'avais des dents magnifiques, tu te rends compte ? Il aurait pu parler de mes yeux ou de ma bouche. – J'avais secoué la tête. – On ne dit quand même pas à une femme qu'elle a des *dents* magnifiques.

— Les hommes anglais sont peut-être différents, avait objecté Bernadette. En tout cas, je trouve qu'il a un comportement étrange avec toi. Soit cet homme a la mémoire d'une passoire, soit, je ne sais pas, sa femme était dans les parages et il avait quelque chose à cacher.

— Il vit seul, tu l'as entendu comme moi. En plus, Chabanais m'a raconté que sa femme l'avait quitté.

Bernadette avait froncé les sourcils.

— Quelque chose ne colle pas. Il doit y avoir une explication toute simple.

J'avais soupiré.

— Réfléchis bien, Aurélie. Qu'est-ce qu'il t'a dit *exactement* à la fin, ce Miller ?

— Eh bien, tout s'est précipité, parce que cet autre type et Chabanais insistaient pour qu'ils s'en aillent. Ils l'encadraient comme un homme politique. Il a bégayé que ça lui avait fait plaisir de m'écrire, et puis il m'a dit : « Au revoir. »

— Ah, quand même ! avait conclu Bernadette, avant de finir son vin rouge.

Peu de temps après, installée dans un taxi qui empruntait le boulevard Saint-Germain, j'ouvris le livre dans lequel Miller avait inscrit sa dédicace :

Pour Aurélie Bredin, bien amicalement, Robert Miller

Je caressai la signature et fixai longuement les lettres rondes et généreuses, comme si elles pouvaient dévoiler le secret Miller.

Elles étaient bien la clé du mystère. Seulement, à cet instant, je ne compris pas pourquoi.

Une scène du film en noir et blanc *Les Enfants du paradis* me marque depuis toujours : c'est la dernière séquence dans laquelle Baptiste, désespéré, court après son grand amour Garance et finit par la perdre dans la cohue du carnaval de rue. Il est englouti, ne parvient pas à traverser la marée humaine, il est encerclé et poussé par la foule qui rit et qui danse, il titube. C'est un homme malheureux et bouleversé au milieu de gens qui font la fête, débordants de gaieté – une image qui ne cessait de me revenir à l'esprit, tandis que j'étais installé avec Sam Goldberg et les autres dans un restaurant alsacien, non loin de la librairie.

Un serveur bedonnant nous avait placés à une grande table, au fond de l'établissement. Le dentiste faisait l'unanimité, tout le monde était de bonne humeur, buvait et plaisantait – quant à moi, assis au milieu des autres tel un extraterrestre, j'étais malheureux comme Baptiste, car les choses avaient mal tourné.

— Eh ben, elle était remontée, m'avait glissé Adam, alors que nous quittions la Librairie Capricorne et que son frère nous demandait sans arrêt qui était la jolie femme en robe rouge.

Adam lui avait expliqué qu'il arrivait, à la faveur d'une lecture, que des fans enthousiastes fassent les yeux doux à un auteur.

— *Wow !* s'était écrié le dentiste, avant d'ajouter que cela lui plaisait de plus en plus d'être un auteur. Il faudrait peut-être que j'écrive vraiment un livre, qu'est-ce que vous en pensez ?

— Pour qui tu te prends ? l'avait rembarré Adam.

J'étais resté silencieux, et mon mutisme ne s'était pas arrangé au fil de la soirée.

André Chabanais, le gentil éditeur toujours là quand on avait besoin de lui, toujours prêt à aider, avait pris un sérieux coup dans l'aile avec Aurélie Bredin. Et le merveilleux Robert Miller venait, lui aussi, de se ridiculiser.

Je me demandais si le pouvoir de séduction de l'Anglais n'avait pas grandement pâti de sa pitoyable prestation. «Oh oui, La Coupole, *Lovely place, very lovely !*» Elle devait le prendre pour un débile, maintenant. Et cette histoire de dents ! Je ne pouvais qu'espérer qu'Aurélie ne renonce pas à inviter Robert Miller dans son restaurant. Cela réduirait mes chances à néant.

Je fixais mon assiette, les voix des autres me parvenaient à travers un brouillard.

Il arriva un moment où même Jean-Paul Monsignac, qui s'amusait royalement avec notre auteur, se rendit compte de mon silence. Il leva son verre à ma santé et me demanda :

— Qu'est-ce qui se passe, André ? Vous ne dites rien !

Je prétextai un mal de tête.

J'aurais préféré rentrer chez moi, mais j'avais l'impression qu'il me fallait avoir Robert Miller à l'œil.

Adam, la seule personne avec qui j'aurais voulu parler, était assis à l'autre bout de la table. Il me jetait de temps à autre un regard encourageant, et quand tout le monde leva enfin le camp, des heures plus tard, il promit de passer me voir le lendemain matin, avant de rentrer à Londres.

— Mais seul, précisai-je. Il faut qu'on parle.

Lorsque l'interphone sonna, j'étais en train de déchirer la nouvelle lettre de Robert Miller à Aurélie Bredin. Je jetai l'enveloppe dans la corbeille à papier et pressai le bouton commandant l'ouverture de la porte. À l'origine, je comptais remettre ce courrier à Adam (Robert Miller y acceptait l'invitation au Temps des cerises), mais après les événements d'hier, son contenu n'était plus adéquat. J'étais resté éveillé la moitié de la nuit, réfléchissant à ce qu'il convenait de faire. Et j'avais une idée.

Quand Adam entra, il remarqua le chaos qui régnait dans l'entrée. La veille, je m'étais contenté de poser le miroir brisé dans un coin et de rassembler sommairement les éclats de verre.

— Oh, qu'est-ce qui s'est passé ici ? Un accès de colère ?

— Non. Le miroir est tombé hier matin – il ne manquait plus que ça !

— Sept ans de malheur, commenta Adam avec un sourire railleur.

Je décrochai mon manteau d'hiver et ouvris la porte.

— Je n'espère pas ! Viens, on va prendre le petit déjeuner dehors, je n'ai rien ici.

Quelques pas seulement nous séparaient du Vieux Colombier. Nous longeâmes le bar jusqu'au fond, où se trouvaient les bancs en bois et les grandes tables. Adam et moi, nous y avions souvent discuté de projets de livres et du cours que prenaient nos vies.

— Adam, tu es mon ami... commençai-je, au moment où le serveur nous apportait notre petit déjeuner.

— *Okay*. Accouche ! Qu'est-ce que tu veux ? C'est à propos de la lettre pour Mlle Bredin que je dois poster en Angleterre ? Pas de problème. Maintenant que j'ai vu la demoiselle, je peux comprendre que tu en sois raide dingue.

— Non. Ce n'est pas une bonne idée, pas après ce qui s'est passé hier soir. En plus, je ne veux pas que les choses s'éternisent. Je veux frapper un grand coup.

— Aha, fit Adam, avant de mordre dans son croissant. Et quelle serait ma contribution ?

— Tu vas l'appeler. En te faisant passer pour Robert Miller.

Adam manqua s'étrangler.

— *You are crazy, man !*

— Non, je ne suis pas fou. Sam et toi, vous avez presque la même voix, il suffira que tu baragouines le français, ce n'est pas très compliqué. S'il te plaît, Adam, il faut que tu me rendes ce service !

Ensuite, je lui exposai mon nouveau plan. Ce soir, Adam allait passer un coup de fil au Temps des cerises, depuis l'Angleterre. Il devait s'excuser auprès d'Aurélie Bredin et lui expliquer qu'il avait été totalement décontenancé de la voir, qu'il y avait trop de gens autour de lui et qu'il avait eu peur de dire un mot de travers.

— Raconte-lui des craques, embobine-la avec ton charme de gentleman et fais en sorte de réhabiliter Robert Miller. Tu vas y arriver. – Je finis mon expresso. – L'important, c'est que tu confirmes le rendez-vous. Dis-lui que tu te réjouis de dîner en tête à tête avec elle. Propose-lui le 16 décembre, parce que tu auras à faire à Paris ce jour-là et que tu pourras lui consacrer toute ta soirée.

Le 16 décembre était une date parfaite, pour deux raisons. Pour commencer, c'était l'anniversaire d'Aurélie Bredin. Ensuite, j'avais découvert que le restaurant serait fermé, comme tous les lundis. *Normalement.*

Voilà qui augmentait la probabilité que je me retrouve seul avec elle au Temps des cerises.

— Ah, encore une chose, Adam. Laisse entendre qu'elle doit tenir ce rendez-vous secret. Fais-lui valoir que ton éditeur pourrait s'inviter s'il apprend que son auteur est en ville. Ça rendra les choses plus crédibles encore.

Si elle acceptait (ce dont je ne doutais pas), Adam la rappellerait, ce soir-là.

En tant qu'Adam Goldberg, cette fois, pour annuler de la part de Miller.

Le motif de ce refus était tout bonnement génial – je me félicitais d'avoir eu cette idée, à deux heures et demie du matin –, car il blesserait l'amour-propre d'Aurélie Bredin et lui ôterait toute possibilité d'entrer en contact avec Robert Miller. Ce qui ne portait pas à conséquence, car son sauveur, son confident dans la douleur et la solitude, serait déjà dans les starting-blocks : devant le restaurant.

Adam éclata de rire.

— Tout un programme ! On dirait un mauvais film américain, un vrai navet. Tu sais bien que ce genre de manigance n'aboutit jamais, non ?

Je me penchai en avant et le regardai avec insistance.

— Adam, je suis sérieux. Je veux cette femme. Tout ce qu'il me faut, c'est une soirée tranquille avec elle. J'ai besoin d'une *vraie* chance, tu comprends ? Si je dois arranger un peu la vérité, je le ferai. Peu importent tes nanars américains, en France, c'est ce qu'on appelle « corriger la fortune ». Parfois, il faut aiguiller le destin, lui donner un petit coup de main.

— Mademoiselle Bredin, mademoiselle Bredin !
s'écria quelqu'un derrière moi, alors que je quittais
l'immeuble et me dirigeais vers le portail en pierre
menant au boulevard Saint-Germain.

Je me retournai et vis un homme de grande taille,
manteau sombre et écharpe rouge, surgir de l'obscurité.

C'était la fin de l'après-midi et j'étais en route pour
le restaurant. Cet homme, c'était André Chabanais.

— Qu'est-ce que vous faites ici ? demandai-je,
étonnée.

— Quel hasard ! Je reviens tout juste d'un rendez-
vous. – Il indiqua Le Procope en souriant. – Mon
bureau déborde de manuscrits et de livres, je ne
peux pas y recevoir plus d'une personne à la fois.
Eh bien, c'est une belle surprise. – Il regarda autour
de lui en balançant sa serviette en cuir. – Vous habi-
tez dans un quartier très agréable.

Je hochai la tête et continuai d'avancer, impassible. J'étais modérément heureuse de voir l'éditeur.

Il se mit à marcher à mes côtés.

— Je peux vous accompagner un bout de chemin ?

— C'est ce que vous êtes en train de faire, non ? lâchai-je, irritée, en accélérant le pas.

— Oh là là, vous êtes toujours fâchée à cause d'hier soir, hein ?

— Je n'ai pas encore entendu le moindre mot d'excuse, répliquai-je, avant de tourner au coin du boulevard. D'abord, vous m'invitez à La Coupole. Ensuite, vous ne me prévenez même pas que Miller donne une lecture. À quel jeu jouez-vous, monsieur Chabanais ?

Nous marchions côte à côte le long du boulevard, silencieux un instant.

— Écoutez, mademoiselle Bredin, je suis vraiment désolé. Tout ça s'est organisé au dernier moment, bien sûr que je *voulais* vous informer... Mais j'ai dû faire face à des impondérables, et en fin de compte, j'ai oublié, tout bonnement.

— Vous voulez dire que vous n'avez pas eu trente secondes pour m'annoncer : « Mademoiselle Bredin, la lecture avec Miller se tiendra lundi à vingt heures » ? Et en fin de compte, vous avez *oublié* ? Qu'est-ce que c'est que ces excuses ? On n'oublie pas les choses importantes. – Je continuais d'avancer, furieuse. – En plus, quand j'ai appelé à la maison d'édition, vous avez fait dire que vous n'étiez pas là.

Il attrapa mon bras.

— Non, ce n'est pas vrai ! On m'a fait part de votre appel, mais j'étais réellement absent.

Je dégageai mon bras.

—Je n'en crois pas un mot, monsieur Chabanais. À La Coupole, vous m'avez raconté vous-même que vous demandiez toujours à votre secrétaire d'éconduire les indésirables en lui faisant de grands signes... C'est ce que je suis pour vous, n'est-ce pas – une indésirable !

Pourquoi étais-je énervée à ce point ? Impossible à dire. Peut-être était-ce dû au fait que la lecture s'était achevée sut une déception et que j'en tenais l'éditeur pour responsable, même s'il n'y pouvait rien, au fond.

—Ma mère a eu un accident hier, et j'ai passé l'après-midi à l'hôpital, expliqua André Chabanais. C'est la vérité, et vous êtes pour moi tout sauf une indésirable, mademoiselle Bredin.

Je m'arrêtai net.

—Mon Dieu ! m'exclamai-je, consternée. Je suis... je suis vraiment désolée.

—Vous me croyez, maintenant ? s'enquit-il en plantant son regard dans le mien.

—Oui, fis-je avant de détourner les yeux avec embarras. J'espère qu'elle se rétablira vite.

—Ça va mieux. Elle s'est cassé la jambe en tombant dans un escalator. – Il secoua la tête. – Hier n'était pas mon jour de chance, vous savez ?

—On est deux, alors.

Il esquissa un sourire.

—Ça n'empêche que je suis impardonnable de ne pas vous avoir prévenue.

Nous poursuivîmes notre chemin, le long des vitrines éclairées du boulevard, et évitâmes un

groupe de Japonais que leur accompagnatrice gui-
dait à travers la ville, un parapluie rouge dressé
au-dessus de sa tête.

— Au fait, comment avez-vous eu vent de cette
lecture ? reprit-il.

— J'ai une amie qui habite l'île Saint-Louis. Elle a
vu l'affiche. Et, par chance, le lundi est mon jour de
congé.

— Alors, tout est bien qui finit bien.

Je me plantai près d'un feu tricolore.

— Voilà... C'est ici que nos chemins se séparent.
– Je tendis le bras vers la rue du Four. – Je dois
traverser.

— Vous allez au restaurant ?

— Vous avez deviné.

— Je viendrai un jour au Temps des cerises. C'est
un endroit très romantique.

— Faites donc ça. Pourquoi pas quand votre mère
sera sortie de l'hôpital ?

Il fit la grimace.

— Vous ne m'accordez pas l'absolution, hein ?

J'eus un sourire moqueur et le feu passa au vert.

— Je dois y aller, monsieur Chabanais, insistai-je.

— Attendez, dites-moi au moins comment je peux
me racheter ! lança-t-il, alors que je posais le pied sur
le passage clouté.

— Vous finirez bien par avoir une idée !

Puis je traversai le boulevard et lui adressai un
dernier signe, avant de prendre la direction de la
rue Princesse.

— Qu'est-ce que tu fais pour Noël ? me demanda Jacquie.

Nous étions en cuisine et je l'aidais à préparer le bœuf bourguignon qui était au menu du jour.

Paul, son second, s'était rétabli, mais il arriverait un peu plus tard.

Nous avions fait rissoler la viande en la répartissant dans deux poêles pour qu'elle dore bien. Je la plaçai dans une grande cocotte et la singeai d'un peu de farine.

— Aucune idée.

À cet instant seulement, je réalisai que ce serait le premier Noël que je passerais toute seule. Étrange... Le restaurant serait fermé à partir du 23 décembre et ne rouvrirait que la deuxième semaine de janvier. Je remuai la viande avec une spatule et attendis que la farine se lie au jus de cuisson. Ensuite, je versai le passe-tout-grains dans la marmite. Le bourgogne grésilla brièvement, les tanins du vin chaud me montèrent agréablement aux narines, puis les morceaux de viande se mirent à mijoter dans la sauce brune.

Jacquie s'approcha avec les carottes coupées en rondelles, les champignons émincés et les oignons grelots, et fit glisser le tout de la planche à découper.

— Tu pourrais venir en Normandie. Je serai chez ma sœur, elle a une grande famille. Les Noëls chez elle sont toujours très animés, il y a de bons amis qui passent, des voisins...

— C'est très gentil, Jacquie, mais je ne sais pas... Je n'y ai pas encore pensé. Cette année, tout est différent... – Remarquant que ma gorge se serrait, je m'ordonnai silencieusement de ne pas verser dans le sentimentalisme. – Je vais sans doute rester bien au chaud à la maison. Après tout, je ne suis plus une petite fille.

Je me voyais déjà assise devant ma bûche, seule ; cette délicieuse bûche de Noël que Papa apportait solennellement à table, à la fin du festin, même si tout le monde se déclarait prêt à éclater.

— Tu seras toujours une petite fille pour moi, affirma Jacquie en me serrant contre lui. Je préférerais que tu viennes au bord de la mer, Aurélie. Qu'est-ce que tu veux faire à Paris, il pleut tout le temps ? Ce n'est pas bien d'être seule à Noël. – Il secoua la tête, l'air soucieux, et sa toque blanche s'agita dangereusement. – Quelques jours de ce merveilleux air pur et des promenades sur la plage te feront le plus grand bien. Sans compter que j'ai promis de cuisiner et que je pourrais avoir besoin de ton aide. Promets-moi que tu vas y réfléchir, Aurélie... D'accord ?

Je hochai la tête, touchée.

— Promis, assurai-je, la voix rauque.

Ce bon vieux Jacquie !

— Et le mieux, là-bas, tu sais ce que c'est ? demanda-t-il.

J'achevai sa phrase dans un sourire :

— On peut regarder au loin !

Je goûtai la sauce avec une grande cuillère en bois.

— Ça manque encore de vin rouge, estimai-je, et je rectifiai avec un peu de bourgogne. Allez, hop !

Au four ! – Je regardai l'heure. – Oh, il faut que je dresse les tables.

Je détachai mon tablier, dénouai le foulard qui couvrait ma tête et secouai mes cheveux. Puis je me dirigeai vers le petit miroir accroché près de la porte de la cuisine et me remis du rouge à lèvres.

— On ne peut pas être plus belle ! déclara Jacquie, et j'entrai dans le restaurant.

Quelques minutes plus tard, Suzette arriva. Ensemble, nous plaçâmes assiettes, couverts, verres à eau et à vin, et pliâmes les serviettes en tissu blanc. Je jetai un coup d'œil aux réservations. Les semaines à venir allaient être chargées et il fallait, de toute urgence, que j'engage un serveur supplémentaire.

En décembre, cela n'arrêtait pas : le petit restaurant était complet presque chaque soir.

— On a une fête, ce soir, seize personnes, indiquai-je à Suzette. Mais ce n'est pas un problème, ils prendront tous le menu.

Suzette hocha la tête et repoussa une table contre le mur.

— Au moment du dessert, il faudra veiller à ce que les crêpes Suzette soient toutes servies en même temps. Jacquie viendra les flamber en salle.

Quand le chef venait en personne flamber les crêpes dans une poêle en cuivre, après avoir coupé les oranges en rondelles, parsemé le tout d'amandes effilées et versé le Grand Marnier, c'était toujours une attraction, et la moitié du restaurant se tordait le cou pour voir les flammes bleuâtres jaillir, l'espace de quelques secondes.

J'étais en train de vérifier la disposition des couverts, lorsqu'une sonnerie retentit.

— Vas-y, Suzette. N'accepte plus de réservation pour ce soir.

Suzette alla décrocher le téléphone, posé près de la caisse.

— Le Temps des cerises, bonsoir ? Oui, monsieur, un instant, s'il vous plaît. – Elle me fit un clin d'œil et me tendit le combiné. – C'est pour toi, Aurélie.

— Oui ? fis-je, interdite.

— Euh... Bonsoir... C'est bien mademoiselle Aurélie Bredin ? demanda une voix à l'accent anglais évident.

— Oui. – Je sentis le sang me monter brutalement à la tête. – Oui, c'est Aurélie Bredin.

Je me tournai vers le comptoir en bois, sur lequel le livre de réservation était ouvert.

— Oh, mademoiselle Bredin, je suis si heureux de vous atteindre, ici Robert Miller, j'ai juste découvert le numéro de la restaurant. Je vous dérange beaucoup ?

— Non, répondis-je, le cœur battant à tout rompre. Non, non, vous ne me dérangez pas du tout, le restaurant n'ouvre que dans une demi-heure. Êtes-vous... êtes-vous toujours à Paris ?

— Oh, non, malheureusement non. Je devais rentrer en Angleterre tôt le matin. Écoutez, mademoiselle Bredin...

— Oui ? l'encourageai-je, l'écouteur collé à l'oreille.

— *I'm so sorry* à cause d'hier soir. Je... mon Dieu ! La tonnerre m'a frappé quand vous vous teniez brusquement devant moi, tombée du ciel. Je pouvais toujours vous regarder, magnifique dans votre robe rouge – comme d'une autre galaxie...

Je pris une profonde inspiration et me mordis la lèvre.

— Moi qui pensais que vous ne vous souveniez plus de moi, avouai-je, soulagée.

— Non, non ! s'exclama-t-il. S'il vous plaît, vous ne devez pas le penser ! Je rappelle tout – votre *lovely* lettre, le photo ! Au début, je n'ai pas pu croire que c'est *vraiment* vous, Aurélie. Et j'étais troublé par ces gens qui voulaient toutes quelque chose de moi, et mon éditeur et l'agent, ils regardaient et écoutaient toujours. Je ne savais plus ce que je pouvais dire. – Il soupira. – Et maintenant, je suis effrayé vous me prenez pour un grand idiot...

— Mais non ! le rassurai-je, les joues brûlantes. Tout va bien.

— S'il vous plaît, vous devez m'excuser. Je ne suis pas si bon avec autant des gens, *you know*, reprit-il, contrit. Ne soyez pas fâchée avec moi.

Mon Dieu, il était adorable !

— Bien sût que je ne vous en veux pas, monsieur Miller, me hâtai-je de confirmer.

J'entendis un bruit derrière moi et vis Suzette, qui suivait notre conversation avec un intérêt croissant.

Je décidai de l'ignorer, et me penchai sur le livre de réservation.

Robert Miller poussa un nouveau soupir, de soulagement, cette fois.

— C'est *tellement* gentil de vous, Aurélie – je peux dire Aurélie ?

— Oui, bien entendu.

J'aurais pu poursuivre cet échange à l'infini.

— Aurélie... Est-ce que je peux encore espérer de manger avec vous ? Ou vous ne voulez plus m'inviter dans votre belle petite restaurant ?

— Si, bien sûr que je le veux, je le veux ! m'écriai-je, et j'aperçus littéralement le point d'interrogation dans les yeux de Suzette, qui s'affairait toujours dans mon dos. Dites-moi juste quand vous pouvez venir.

Robert Miller se tut un moment, et je l'entendis tourner des pages.

— Le 16 décembre, c'est *okay* ? J'ai à faire près de Paris pendant le journée, mais ma soirée appartient à vous.

Je fermai les yeux et souris. Le 16 décembre, c'était mon anniversaire. Et c'était un lundi. Apparemment, en ce moment, toutes les choses importantes dans ma vie arrivaient un lundi.

C'était un lundi que j'avais trouvé le livre de Miller dans la librairie. Un lundi que j'avais aperçu, à La Palette, Claude l'infidèle et son amie enceinte. Un lundi que j'avais vu Robert Miller pour la première fois, au cours d'une lecture dont j'avais entendu parler juste à temps. Ce serait un lundi, jour de mon anniversaire, qu'aurait lieu un dîner en tête à tête avec un auteur des plus intéressant. Si cela continuait ainsi, je me marierais un lundi et je mourrais un lundi, et Mrs Dinsmore arroserait ma sépulture avec son arrosoir.

— *Hello,* mademoiselle Aurélie ? Vous êtes toujours là ? s'inquiéta Miller. Si lundi n'est pas un bon jour pour vous, on cherchera un autre date. Mais le repas doit arriver, j'insiste.

Je me mis à rire, heureuse.

— Le repas *aura* lieu ! Lundi 16 décembre, à vingt heures. Je me réjouis de vous voir, monsieur Miller !

— Pas tellement que moi, pas tellement que moi ! – Il hésita. – Est-ce que je peux encore vous demander un petit faveur, mademoiselle Aurélie ? Ne dites pas à André Chabanais à propos de notre rendez-vous, s'il vous plaît. Il est très gentil, mais il est parfois... comment dit-on... monopolisant. S'il apprend que je suis à Paris, il veut me voir aussi et on n'aura plus assez de temps pour nous...

— Ne vous en faites pas, monsieur Miller. Je resterai muette comme une tombe.

Lorsque je raccrochai, Suzette me fixait, les yeux écarquillés.

— Mon Dieu, *qui* était cet homme ? Il t'a fait une demande en mariage, ou quoi ?

— C'était l'homme qui sera mon hôte le 16 décembre. Mon *unique* hôte !

Sur ces mots énigmatiques, j'abandonnai une Suzette étonnée et allai ouvrir la porte du restaurant.

La rencontre avec Robert Miller serait mon petit secret.

Ce n'est pas sans raison qu'on qualifie Paris de Ville lumière. Et je trouve qu'elle mérite particulièrement son nom en décembre.

Si le mois de novembre avait été gris et pluvieux, marqué par des jours où l'on avait le sentiment qu'il ne ferait jamais clair, en décembre, comme chaque année, Paris se métamorphosait en une véritable mer de lumière étincelante. On aurait dit qu'une fée volait au-dessus des rues et saupoudrait les bâtiments de poussière d'étoiles. L'après-midi ou le soir, quand on roulait dans Paris, la ville décorée pour Noël resplendissait dans l'obscurité d'un éclat argenté, semblable à un conte.

Les arbres noueux des Champs-Élysées étaient parés de milliers de petites lumières ; les enfants comme les adultes s'attardaient devant les vitrines des Galeries Lafayette, du Printemps ou du Bon Marché, admirant les décorations ; dans les petites rues et sur les grands boulevards, les passants avaient les bras chargés de cadeaux ornés de rubans ; devant les musées, on ne faisait plus la queue – même au Louvre, les week-ends de l'avent, on pouvait s'approcher sans peine de *Mona Lisa* et contempler son sourire impénétrable. Quant à la tour Eiffel – emblème à la fois massif et arachnéen de la ville, point de chute de tous les amoureux qui venaient pour la première fois à Paris –, elle scintillait au-dessus de tout cela.

J'étais allée y faire du patin à glace deux fois avec la petite Marie. *Patiner sur la tour Eiffel* annonçait l'affiche bleu ciel représentant une tour Eiffel peinte en blanc et, devant, une paire de patins démodés. Marie avait tenu à gravir à pied les marches en fer menant au premier étage. Cela faisait des années que je n'y étais pas montée, et pendant notre ascension, je m'étais arrêtée souvent pour regarder en bas, à travers l'ossature qui paraissait gigantesque, vue de près. L'air froid et l'effort m'avaient coupé le souffle, mais, arrivées en haut, nous avions évolué sur la glace, les joues rougies et les yeux brillants, glissant au-dessus de la ville illuminée. Ces moments m'avaient donné le sentiment de retomber en enfance.

Il y a quelque chose dans Noël qui nous renvoie sans cesse à nous-mêmes, à nos souvenirs, nos souhaits, à notre âme d'enfant qui se tient toujours, bouche ouverte, devant ces portes mystérieuses derrière lesquelles attend le merveilleux.

Papiers froissés, mots chuchotés, bougies qui brûlent, fenêtres décorées, parfum de la cannelle et des clous de girofle, souhaits couchés sur des billets ou adressés au ciel, qui seront peut-être exaucés – qu'on le veuille ou non, Noël réveille ce désir éternel de merveilleux. Ce merveilleux n'est rien qu'on puisse posséder ou retenir, il ne vous *appartient* pas, pourtant, il est toujours là, comme un cadeau.

La tête appuyée contre la vitre du taxi qui traversait la Seine, je regardais le fleuve brillant sous le soleil, songeuse. Sur mes genoux, enveloppé dans du papier de soie, le manteau rouge. Bernadette, qui m'avait invitée ce matin à prendre le petit déjeuner chez elle, me l'avait offert pour mon anniversaire.

L'un dans l'autre, ce 16 décembre avait débuté de façon très prometteuse. En réalité, il avait débuté dès hier soir ; les derniers clients avaient quitté le restaurant vers minuit et demi, et nous avions tous trinqué à mon trente-troisième anniversaire en buvant du champagne : Jacquie, Paul, Claude, Marie et Pierre, notre nouveau marmiton, le plus jeune d'entre nous avec ses seize ans, Suzette, qui avait passé toute la soirée à faire des allusions à la surprise qu'il y aurait pour moi, et Juliette Meunier, qui aidait au service presque tous les soirs depuis la deuxième semaine de décembre.

Jacquie avait préparé un délicieux gâteau au chocolat garni de framboises dont nous avions mangé un morceau, puis il m'avait tendu, au nom de tout le monde, un gros bouquet de fleurs. J'avais reçu des petits paquets colorés – une épaisse écharpe et les gants assortis, tricotés par Suzette, un carnet de notes orné d'un motif oriental, offert par Paul, et, de la part de Jacquie, un petit sac en velours contenant des coquillages et deux billets de train.

Ç'avait été un moment agréable, presque familial. Vers deux heures du matin, après avoir remonté ma couverture, je m'étais endormie avec la pensée que, le soir même, j'avais rendez-vous avec un écrivain séduisant, un inconnu qu'il me semblait connaître.

Le chauffeur de taxi passa sur un ralentisseur et le papier entourant le manteau frissonna.

— Tu es folle ! m'étais-je exclamée en déballant le grand paquet posé sur la table du petit déjeuner. Le manteau rouge ! Tu es vraiment folle, Bernadette, c'est beaucoup trop cher !

— Il te portera bonheur, avait répondu Bernadette, tandis que je la serrais contre moi, les larmes aux yeux. Ce soir... et chaque fois que tu le mettras.

C'est ainsi qu'en début d'après-midi, ce 16 décembre, je me retrouvai en manteau rouge carmin devant Le Temps des cerises, normalement fermé le lundi – aventurière emmitouflée dans la couleur du bonheur, enveloppée dans un nuage d'Héliotrope blanc.

Une demi-heure plus tard, j'étais dans la cuisine et je préparais le dîner. C'était mon repas d'anniversaire, mais plus encore, c'était un menu placé sous le signe de la gratitude, la gratitude qu'un jour funeste de novembre se soit achevé sur un sourire rêveur, symbole de renouveau.

Ce serait aussi, et surtout, mon premier repas avec Robert Miller.

Je m'étais interrogée longuement : avec quels délices culinaires allais-je impressionner l'auteur anglais ? Pour finir, j'avais arrêté mon choix sur le Menu d'amour que mon père m'avait légué.

Ces mets n'étaient sans doute pas les plus raffinés que la cuisine française puisse offrir, mais ils présentaient deux avantages : ils étaient légers et je savais les cuisiner à la perfection, si bien qu'au cours du repas, je pourrais me consacrer totalement à cet homme dont j'attendais la venue avec impatience.

Je nouai mon tablier blanc et sortis des cabas les provisions achetées ce midi au marché : de la mâche croquante, des oranges, des noix de macadamia, de petits champignons de Paris, une botte de carottes, des oignons rouges, deux grenades rouge vif, une canette et du lard maigre. Il y avait toujours des pommes de terre, de la crème, des tomates et des épices dans l'office. Quant au parfait à l'orange sanguine parfumé à la cannelle, qui couronnait le Menu d'amour avec les moelleux au chocolat, je l'avais préparé hier.

En entrée, il y aurait de la mâche accompagnée de champignons frais, d'avocat, de noix de macadamia et de dés de lard rissolés. Le tout assaisonné avec la savoureuse vinaigrette aux agrumes de papa, la touche indispensable.

Mais pour commencer, il fallait que je m'occupe de la canette que j'avais détaillée en morceaux : sa cuisson devait être maîtrisée.

Je réservai la viande, l'égouttai dans une passoire pour éliminer la graisse, et la tamponnai doucement avec un essuie-tout. Ensuite, je mondai les tomates que j'ajouterais dans le faitout à la toute fin, avec le vin blanc, afin que leurs arômes puissants ne dominent pas trop. J'allai chercher un verre et y versai un peu du pinot blanc qui allait également servir dans ma recette.

J'ouvris les grenades en chantonnant et enlevai les pépins avec une fourchette. Ils roulèrent, telles des perles d'eau d'un rouge chatoyant. J'avais l'habitude de travailler vite, mais quand je prenais tout mon temps pour préparer les plats, comme aujourd'hui, cuisiner devenait une entreprise presque poétique qui pouvait m'absorber totalement. Mon trouble s'apaisait un peu plus à chacun de mes gestes. Si, au début, je m'étais interrogée sur le tour que prendrait cette soirée avec Robert Miller, réfléchissant à ce que je voulais lui demander, au bout d'un moment, je retrouvai un certain détachement, malgré mes joues échauffées.

Les effluves de la canette remplissaient la cuisine. Ça fleurait bon le thym et l'ail. Les feuilles de mâche, nettoyées et lavées, reposaient dans une grande passoire en inox, les champignons étaient émincés finement, l'avocat coupé en dés. Je goûtai la vinaigrette aux agrumes et plaçai sur le buffet les moelleux au chocolat dont il me restait à parfaire la cuisson. Puis j'enlevai mon tablier et le suspendis au crochet. Il était un peu plus de dix-huit heures trente, et tout était prêt. La bouteille de champagne attendait dans le réfrigérateur depuis des heures. Il ne me restait plus qu'à patienter.

Je passai dans le restaurant, où j'avais dressé une table dans une niche, près d'une fenêtre. Un rideau en coton blanc ajouré masquait le tiers inférieur de la vitre pour nous protéger des regards curieux, mon invité et moi. J'avais placé sur la nappe un bougeoir en argent, et glissé dans la chaîne un CD de chansons françaises.

Je me versai encore un peu de vin avant de m'approcher de la table, mon verre à la main, et de chercher à percer l'obscurité du regard.

Dans la vitre, j'aperçus mon reflet. Je vis une jeune femme pleine d'espoir ; vêtue d'une robe en soie verte sans manches, elle levait lentement le bras pour détacher le ruban qui retenait ses cheveux. Je souris, et la femme dans la vitre sourit aussi. Il avait peut-être été puéril de ma part d'enfiler cette robe à nouveau, mais c'était le seul vêtement que je voulais porter ce soir.

Je levai mon verre en direction de la femme aux cheveux brillants, et murmurai :

— Bon anniversaire, Aurélie. Que ce jour soit très particulier !

Je me surpris soudain à me demander où cette soirée allait m'entraîner.

Une demi-heure plus tard – j'éteignais le feu sous la cocotte –, j'entendis quelqu'un frapper à la vitre. Surprise, je quittai la cuisine. Se pourrait-il que Robert Miller se présente à notre rendez-vous avec une heure d'avance ?

Dans un premier temps, je ne remarquai que l'énorme bouquet de roses couleur champagne. Puis je vis l'homme derrière, qui me faisait joyeusement signe de la main. Mais cet homme n'était pas Robert Miller.

Depuis qu'Aurelie Bredin avait emprunté le passage clouté, il y a deux semaines, avant de disparaître au détour d'une rue, j'avais attendu ce moment avec impatience, tout en le craignant. J'ignore combien de fois j'avais projeté dans ma tête le film imaginaire de cette soirée du 16 décembre.

J'y avais pensé quand j'allais rendre visite à maman à l'hôpital ; j'y avais pensé pendant les réunions du comité de lecture, tandis que je dessinais de petits bonshommes sur mon bloc-notes ; j'y avais pensé quand je fonçais sous la ville à bord du métro, quand je fouinais dans ma librairie préférée, Assouline, à la recherche de beaux livres, quand je retrouvais mes amis à La Palette. J'y pensais même le soir dans mon lit.

Où que je sois, où que j'aille, ces pensées m'accompagnaient, et j'envisageais cette soirée comme un comédien aborde la première de sa pièce de théâtre.

Plus d'une fois, j'avais décroché mon téléphone pour entendre la voix d'Aurélie Bredin et l'inviter à prendre un café, au débotté, mais j'avais toujours fini par reposer le combiné, par peur de me faire rabrouer. En tout cas, elle ne s'était plus manifestée depuis le jour où je l'avais croisée «par hasard» devant son immeuble, avant que mon ami Adam ne l'appelle dans son restaurant en se faisant passer pour Robert Miller.

Lorsque je me mis en route pour Le Temps des cerises avec mon bouquet de fleurs et une bouteille de crémant, j'étais en ébullition. À présent, devant la vitre du restaurant, je m'efforçais d'afficher une expression détendue et pas trop solennelle. Mon idée de me présenter après le travail, afin de saluer brièvement Aurélie Bredin pour son anniversaire (dont je m'étais souvenu incidemment), devait paraître la plus spontanée possible.

Je frappai donc à la vitre, assez fort, sachant très bien que je trouverais la belle cuisinière seule. Mon cœur cognait au moins aussi fort.

Quand elle me reconnut, son visage trahit sa surprise. Quelques secondes plus tard, la porte du Temps des cerises s'ouvrit.

— Monsieur Chabanais, qu'est-ce que vous faites *ici* ?

— Je viens vous saluer brièvement pour votre anniversaire, expliquai-je en lui tendant le bouquet. Que tous vos vœux se réalisent !

— Merci beaucoup, c'est vraiment très aimable à vous.

Elle me prit le bouquet des mains et j'en profitai pour me glisser dans le restaurant.

—Je peux entrer un moment? – Embrassant la salle d'un rapide coup d'œil, je notai qu'une seule table était dressée, dans une niche, près de la fenêtre. Je m'assis sur une des chaises en bois, dans l'entrée. – Aujourd'hui, en regardant mon calendrier, je me suis dit... le 16 décembre, ça me rappelle quelque chose, mais quoi? Et puis, ça m'est revenu. J'ai pensé que cela pourrait vous faire plaisir que je vous apporte des fleurs. – Je posai la bouteille de crémant sur la table à côté de moi. – Je vous avais menacée de passer un jour dans votre restaurant, vous vous rappelez? – J'écartai les bras. – Alors, me voilà!

—Oui... Vous voilà. – Il était manifeste qu'elle ne se réjouissait pas follement de mon irruption. Elle contempla les roses opulentes, gênée, et respira leur parfum. – C'est... un bouquet magnifique, monsieur Chabanais... Simplement... Le restaurant est fermé, aujourd'hui.

Je me frappai le front du plat de la main.

—Non! J'avais complètement oublié. C'est une chance que je vous trouve, alors. Mais que faites-vous *ici*? Le jour de votre anniversaire? Vous ne travaillez quand même pas en cachette?

J'éclatai de rire, et elle alla prendre un grand vase en verre sous le comptoir.

—Non, bien sûr que non. – Je remarquai qu'une teinte rose tendre gagnait son visage; elle se retourna et se rendit dans la cuisine pour mettre de l'eau dans le vase. À son retour, elle le posa sur le comptoir en bois, près de la caisse et du téléphone. – Eh bien... merci beaucoup, monsieur Chabanais.

Je me levai.

— Est-ce que je dois comprendre que vous me mettez dehors, sans que j'aie l'occasion de trinquer avec vous ? Quelle amertume !

— Je crains de ne plus avoir le temps. Le moment est mal choisi, monsieur Chabanais. Je suis désolée, ajouta-t-elle d'un air de regret en joignant les mains.

Alors seulement, je fis mine de remarquer la table isolée, dressée devant la fenêtre.

— Oh... vous attendez *quelqu'un*. La soirée promet d'être romantique, apparemment.

Je la fixai. Ses yeux vert foncé brillaient.

— Eh bien, qui que ce soit, il peut s'estimer heureux, repris-je. Vous êtes très en beauté ce soir, Aurélie. – Je caressai la bouteille, toujours posée sur la table. – Quand arrive votre invité ?

— À vingt heures, répondit-elle, avant de repousser ses cheveux.

Je regardai ma montre. Dix-neuf heures quinze. Adam appellerait dans quelques minutes.

— Allez, mademoiselle Bredin, buvons un verre à votre santé ! Il n'est que dix-neuf heures quinze. J'aurai disparu dans dix minutes. Je vous dispense d'ouvrir la bouteille !

Elle sourit et je sus qu'elle ne dirait pas non.

— Très bien, soupira-t-elle. Dix minutes.

Je fouillai dans ma poche de pantalon.

— Vous voyez ? J'ai même apporté l'ouvre-bou-
teille. – Je tirai sur le bouchon, qui quitta le goulot
avec un léger *plop*. Puis je versai le vin pétillant dans
deux verres qu'Aurélie avait sortis d'une vitrine, –
Plein de bonnes choses pour cette nouvelle année !

Je bus le crémant à grandes gorgées, en tentant
de rester calme, même si mon cœur tambourinait
tant dans ma poitrine que j'avais peur qu'elle ne l'entende. Le compte à rebours était lancé. Bientôt, le
téléphone sonnerait, et l'on verrait si j'étais vraiment
condamné à m'en aller. J'étudiais alternativement le
contenu de mon verre, puis le doux visage d'Aurélie.
Pour meubler le silence, je me risquai à dire :

— On ne peut pas vous quitter des yeux deux
semaines, hein ? On tourne à peine le dos que vous
avez un nouvel admirateur.

Elle rougit.

— Quoi ? demandai-je. Je le connais, peut-être ?

— Non.

Le téléphone sonna, mais Aurélie Bredin ne se
déplaça pas.

— Probablement quelqu'un qui veut réserver.
Je ne décroche pas, le répondeur est branché.

On entendit un déclic, puis l'annonce du restaurant. Ensuite, la voix d'Adam retentit :

— Oui, bonsoir, Adam Goldberg à l'appareil,
ceci est un message pour Aurélie Bredin, annonça-
t-il sans détour. Je suis l'agent de Robert Miller et
j'appelle de sa part. – Je vis Aurélie Bredin pâlir. –
J'aurais préféré vous le dire en personne, mais Miller

m'a prié d'annuler votre rendez-vous de ce soir. Il est vraiment désolé. – Les mots d'Adam tombaient dans le silence comme autant de pierres. – Il... comment dire... Il est complètement retourné. Sa femme est réapparue hier soir sans prévenir, et... ma foi... elle est toujours là et il semblerait qu'il soit question qu'elle reste. Ils ont besoin de parler, je pense. – Adam se tut un moment. – Il m'est très désagréable de devoir vous importuner avec ces affaires privées, mais Robert Miller tenait à ce que vous sachiez qu'il... eh bien... qu'il décline votre invitation pour un motif important. Il me demande de vous faire savoir qu'il est navré et vous remercie de votre compréhension.

Adam s'interrompit quelques secondes, puis il prit congé et raccrocha.

Aurélie Bredin, figée là, comme transie, serrait son verre de crémant si fort que je craignis qu'il ne se brise.

Elle me fixait, je la fixais, et pendant un long moment, aucun de nous deux ne prononça la moindre parole.

Ensuite, sa bouche s'ouvrit comme si elle voulait parler, mais elle ne dit rien. Au lieu de cela, elle finit son verre d'un trait, le pressa contre sa poitrine et planta son regard dans le sol.

— Voilà... fit-elle d'une voix dangereusement fluette.

Je posai mon verre. Je me faisais l'effet d'un sale type. Mais ensuite, je pensai : *Le roi est mort, vive le roi*, et je décidai de passer à l'action.

— Vous aviez rendez-vous avec *Miller*? m'enquis-je, consterné en apparence. Seule dans votre
restaurant? Le jour de votre *anniversaire*? – Je fis une
pause. – C'est lui faire trop d'honneur, non? Je veux
dire, vous ne le *connaissez* pas!

Elle me regarda, muette, et je vis les larmes se
presser dans ses yeux. Puis elle se détourna vivement
pour regarder par la fenêtre.

— Mon Dieu, Aurélie, je... je ne sais pas quoi dire.
C'est... affreux, vraiment affreux. – Je m'approchai
d'elle. Elle pleurait en silence. Très prudemment,
je posai mes mains sur ses épaules tremblantes. – Je
suis désolé. *Terriblement* désolé, Aurélie.

Je m'aperçus avec surprise que c'était vrai. Un
très léger parfum de vanille montait de ses cheveux.
J'aurais aimé les écarter doucement et embrasser sa
nuque, mais je me contentai de caresser ses épaules
pour l'apaiser.

— S'il vous plaît, Aurélie, ne pleurez pas, poursuivis-je à voix basse. Oui, je sais, je sais... Ça fait
mal d'être éconduite comme ça... Ça va aller... ça va
aller...

— Miller m'a appelée, pourtant. Il voulait absolument me voir et il a dit des choses tellement
gentilles au téléphone... sanglota-t-elle. Et moi...
je prépare tout ici, je réserve ma soirée... Après la
lettre, j'ai pensé que j'étais... que j'étais spéciale
pour lui... Il a fait des allusions, vous comprenez?
– Elle se retourna brusquement vers moi, le visage
baigné de larmes. – Et voilà que sa *femme* revient

brusquement, et je me sens... je me sens... je me sens *horriblement* mal !

Elle cacha sa figure dans ses mains, et je la pris dans mes bras.

Il fallut un moment à Aurélie pour se calmer. Heureux d'être là pour la consoler, je lui tendais un mouchoir après l'autre, tout en priant pour qu'elle n'apprenne jamais comment j'avais pu me présenter au Temps des cerises juste avant que le répondeur ne se déclenche, catapultant Robert Miller dans les limbes.

Finalement – nous nous étions assis l'un en face de l'autre –, elle demanda :

— Vous avez une cigarette ? J'en aurais bien besoin.

— Oui, bien sûr.

Je sortis de ma poche un paquet de gauloises. Elle prit une cigarette et la considéra pensivement.

— La dernière gauloise que j'ai fumée, c'était avec Mrs Dinsmore... au *cimetière* ! – Elle sourit et ajouta, comme pour elle-même : – Je me demande si je percerai un jour le mystère de ce roman...

Je grattai une allumette et la lui tendis.

— C'est possible, éludai-je en contemplant sa bouche toute proche de mon visage, l'espace de quelques secondes. Mais plus ce soir.

Elle s'adossa à sa chaise et souffla la fumée.

— Non. Et je peux aussi oublier le dîner avec l'auteur.

Je hochai la tête, compatissant, et pensai qu'il y avait de bonnes chances qu'elle dîne tout de même avec l'auteur – même s'il ne s'appelait pas Miller.

— Vous savez quoi, mademoiselle Bredin ? Vous allez oublier ce Miller qui, apparemment, ne sait pas ce qu'il veut. Voyez plutôt les choses sous cet angle : c'est le livre qui compte. Ce roman vous a aidée à surmonter votre chagrin – il est tombé du ciel pour vous sauver, en quelque sorte. Personnellement, je trouve ça remarquable.

— Oui, vous avez peut-être raison, déclara-t-elle, hésitante. – Elle se redressa et me regarda longtemps en silence. – D'une certaine manière, je suis heureuse que vous soyez venu, monsieur Chabanais.

Je pris sa main.

— Ma chère Aurélie, c'est *moi* qui suis heureux d'être venu, vous ne vous imaginez pas à quel point, lui assurai-je d'une voix enrouée. – Je me levai. – Et maintenant, on va fêter votre anniversaire ! Pas question que vous broyiez du noir. Pas tant que je peux l'empêcher.

Je nous versai le reste du crémant ; Aurélie but son verre et le reposa d'un geste déterminé.

— Bien ! repris-je en la prenant par le bras pour qu'elle se lève à son tour, Puis-je vous accompagner à notre table, mademoiselle Bredin ? Si vous me dites où vos délices se cachent, j'irai les chercher.

Naturellement, Aurélie insista pour mettre elle-même la dernière main à ses préparations, mais elle m'autorisa à la suivre en cuisine. Elle me demanda d'ouvrir la bouteille de vin rouge, tandis qu'elle faisait revenir les dés de lard maigre dans une petite poêle. Comme je n'avais jamais mis les pieds dans la cuisine d'un restaurant, j'admirai le piano, un fourneau à gaz huit feux, et les nombreuses casseroles, marmites, poêles et louches, toutes posées ou accrochées à portée de main.

Nous bûmes le premier verre de vin rouge debout dans la cuisine, le second à table.

— C'est délicieux ! m'exclamai-je après avoir plongé ma fourchette dans les feuilles tendres, qui luisaient sous les dés de lard.

Lorsque Aurélie partit chercher la canette parfumée, j'allai allumer la petite chaîne, sous le comptoir, et lançai le CD.

Georges Brassens se mit à chanter *Je me suis fait tout petit* d'une voix tendre, et je songeai que tout homme rencontre un jour, dans sa vie, une femme qui lui donne envie de se laisser apprivoiser.

La viande fondait dans la bouche, et je félicitai Aurélie : « C'est pure poésie ! » Elle me confia qu'elle tenait la recette (et, de façon générale, tout le menu de ce soir) de son père qui était mort en octobre, beaucoup trop tôt.

— La première fois qu'il l'a préparé, c'était après avoir... après avoir... – Elle bredouilla et rougit soudain. – Enfin, il y a très, très longtemps, conclut-elle avant de saisir son verre de vin.

Tout en dégustant la volaille, elle me parla de Claude, qui lui avait honteusement menti, et me raconta l'histoire du manteau rouge que sa meilleure amie Bernadette lui avait offert pour son anniversaire, « la femme blonde qui m'accompagnait à la lecture, vous vous en souvenez, monsieur Chabanais ? »

Je ne me souvenais plus de rien, mais je hochai la tête avec empressement.

— Dans ce cas, buvons à Bernadette !

Ensuite, à ma demande, nous bûmes un autre verre aux beaux yeux d'Aurélie.

— Ne soyez pas idiot, monsieur Chabanais !

— Non, pas du tout. Je n'ai jamais vu des yeux comme les vôtres, vous savez ? Ils ne sont pas simplement verts, on dirait... on dirait deux opales précieuses, et à la lumière de la bougie, j'y vois le doux chatoiement d'une mer infinie...

— Eh bien ! lâcha-t-elle, impressionnée. C'est la plus belle chose qu'on ne m'ait jamais dite sur mes yeux.

Alors, la conversation dériva sur Jacquie, le chef bougon au cœur d'or, originaire de Normandie, à qui la mer infinie manquait.

— Moi aussi, j'ai un cœur d'or, objectai-je, avant de prendre sa main et de la poser sur ma poitrine. Vous sentez ?

— Oui, monsieur Chabanais, confirma-t-elle avec sérieux. – Elle laissa un moment sa main contre mon cœur qui s'emballait, puis elle bondit et repoussa ses cheveux. – Et maintenant, mon cher ami, je vais chercher les moelleux au chocolat. C'est ma spécialité. Jacquie dit toujours qu'un moelleux au chocolat est doux comme l'amour.

Elle éclata de rire et courut jusqu'à la cuisine.

— Je vous crois sur parole.

Je pris le plat de service et la suivis. J'étais grisé par l'alcool, par la présence d'Aurélie, par cette soirée merveilleuse dont j'aurais souhaité qu'elle ne s'achève jamais.

Aurélie posa les assiettes sur le buffet et ouvrit l'énorme réfrigérateur en inox pour en sortir le parfait à l'orange sanguine. Selon elle, la saveur sucrée du chocolat se mariait irrésistiblement avec le parfum légèrement amer de l'orange sanguine. J'écoutais ses explications, captivé, ensorcelé par le timbre de sa voix. Elle devait avoir raison, mais je crois que, pour l'heure, je trouvais *tout* irrésistible.

Depuis la cuisine, j'entendis *La Fée Clochette* et je me mis à fredonner cette chanson que j'aimais beaucoup, tandis que l'interprète énumérait les whiskies qu'il comptait boire et les cigarettes qu'il comptait fumer pour séduire cette fille magique qu'il cherchait toujours.

Je ferai cent mille guinguettes, je boirai cent mille whiskies
Je fumerai cent mille cigarettes pour la ramener dans mon lit
Mais j'ai bien peur que cette chérie n'existe juste que dans ma tête
Mon paradis, ma fabulette, mon Saint-Esprit
Ma fée Clochette !

J'avais trouvé ma fée Clochette ! Elle était tout près de moi et parlait avec ferveur de petits moelleux au chocolat.

Aurélie referma la porte du réfrigérateur, fit un pas en arrière et me heurta.

— Hop là ! – Elle planta son regard dans le mien. – Je peux vous poser une question, monsieur Chabanais ? demanda-t-elle sur un ton de conspiratrice.

— Tout ce que vous voulez.

— La nuit, quand je descends un escalier, je ne me retourne jamais parce que j'ai la trouille que quelque chose me suive. – Ses yeux étaient grands ouverts, et je sombrai la tête la première dans cette mer paisible. – Vous trouvez ça bizarre ?

— Non, murmurai-je en penchant la tête. Non, je ne trouve pas ça bizarre du tout. Tout le monde sait qu'il ne faut pas se retourner quand on est dans un escalier plongé dans l'obscurité.

Ensuite, je l'embrassai.

Notre baiser s'éternisa. Finalement, lorsque nos lèvres se séparèrent, l'espace d'un instant, Aurélie dit doucement :

— J'ai peur que le parfait à l'orange sanguine ne fonde.

J'embrassai ses épaules, son cou, je mordis tendrement les lobes de ses oreilles, jusqu'à ce qu'elle pousse un léger soupir, et avant de m'attarder à nouveau sur sa bouche, je chuchotai :

— J'ai peur que nous ne devions vivre avec cette idée.

Ensuite, pendant longtemps, *très* longtemps, le silence régna.

Mon anniversaire s'acheva sur une nuit blanche, une nuit à n'en plus finir.

Minuit était passé depuis longtemps lorsque André m'aida à enfiler mon manteau rouge. Je fermai le restaurant et nous nous mîmes en route, étroitement enlacés, empruntant les rues tranquilles comme des somnambules. Nous nous arrêtions tous les deux ou trois mètres pour nous embrasser, et il nous fallut un temps fou avant d'arriver devant mon appartement. Mais cette nuit-là, nous avions perdu toute notion du temps.

Lorsque je me penchai pour ouvrir la porte, André embrassa ma nuque. Lorsque je le pris par la main pour le faire entrer, il m'enlaça et caressa ma poitrine. Dans la chambre, il fit glisser les bretelles de ma robe, puis il prit ma tête entre ses mains, avec une tendresse infinie.

— Aurélie, fit-il, et il m'embrassa soudain avec une telle fougue que j'en eus le vertige. Ma jolie, jolie fée.

Nos habits tombèrent sur le parquet dans un léger bruit de froissement, puis nos corps s'échouèrent sur mon lit pour s'y perdre pendant des heures, des heures où tout ne fut que caresses et découverte.

Lorsque je me réveillai, il était étendu près de moi, sa main soutenant son menton, et il me souriait.

— Tu es tellement belle quand tu dors...

Je le regardai et j'essayai de graver dans ma mémoire l'image de ce matin où nous nous réveillions l'un avec l'autre, pour la première fois. Son large sourire, ses yeux bruns aux cils noirs, ses cheveux sombres, légèrement ondulés, en désordre, sa barbe, bien plus douce que je ne l'aurais pensé, sa cicatrice claire au-dessus du sourcil droit, vestige du jour où, petit garçon, il s'était empêtré dans une clôture en fil de fer barbelé – et, derrière lui, la porte du balcon et ses rideaux tirés à moitié, un matin paisible dans la cour, les branches du grand marronnier, un bout de ciel. Je souris et fermai les yeux.

Son index effleura tendrement ma bouche.

— À quoi tu penses ?

— J'étais en train de penser que j'aimerais retenir cet instant, expliquai-je en déposant quelques baisers sur son doigt. – Je me laissai retomber sur mon oreiller dans un soupir. – Je suis si heureuse ! Tout à fait heureuse.

— Je le suis aussi, fit-il en me prenant dans ses bras. Aurélie... Mon Aurélie. – Il m'embrassa et nous restâmes silencieux un moment, blottis l'un contre l'autre. – Je ne me lève plus jamais, murmura André, avant de me caresser le dos. On reste au lit, d'accord ?

— Il ne faut pas que tu ailles travailler ?

— Quel travail ? chuchota-t-il, et sa main glissa entre mes jambes.

— Tu devrais au moins prévenir ta maison d'édition que tu vas passer le reste de tes jours au lit, – Je jetai un coup d'œil au réveil posé sur mon chevet. – Il sera bientôt onze heures.

Il soupira et retira sa main à regret.

— Vous êtes une petite rabat-joie, mademoiselle Bredin, je m'en doutais, déclara-t-il en me pinçant le bout du nez. Très bien, je vais appeler Mme Petit et lui annoncer que je serai en retard. Non, encore mieux ! Je vais lui dire que je ne peux pas venir aujourd'hui. On va passer une belle journée tous les deux, qu'est-ce que tu en penses ?

— Je trouve que c'est une excellente idée. Tu règles tes affaires et en attendant, je nous fais un café.

— D'accord ! Mais je n'ai aucune envie que tu m'abandonnes...

— Ce n'est pas pour longtemps, répliquai-je, avant de m'envelopper dans mon peignoir bleu foncé pour me rendre dans la cuisine.

— Tu vas l'enlever vite fait ! s'exclama André, et j'éclatai de rire.

— Tu n'en as jamais assez !

— Non. Je n'en aurai jamais assez de toi !

Ni moi de toi, pensai-je.

Je me sentais si sûre de moi à cet instant, si sûre !

Je préparai un café crème pendant qu'André téléphonait, puis disparaissait dans la salle de bains. J'apportai les deux grandes tasses dans la chambre en avançant prudemment. Je déplaçai le livre de Robert Miller, toujours sur mon chevet, et les posai.

Était-il possible que le Menu d'amour ait opéré ? Au lieu de dîner avec un auteur anglais, j'avais partagé un repas avec un éditeur français, et brusquement, nous nous regardions autrement – presque comme Tristan et Iseult, qui avaient bu par mégarde le philtre d'amour et ne pouvaient plus vivre l'un sans l'autre. Je me souvenais très bien d'avoir été impressionnée, enfant, par l'opéra que papa m'avait emmenée voir. Et j'avais été marquée par les effets du breuvage magique.

Je ramassai en souriant les vêtements, éparpillés un peu partout dans la pièce, et les posai sur une chaise, à côté du lit. Quand je pris la veste d'André, quelque chose tomba par terre. C'était son portefeuille. Il s'était ouvert, et quelques papiers s'en étaient échappés. Des pièces roulèrent sur le parquet.

Je m'accroupis pour rassembler la monnaie. Dans la salle de bains, André chantait avec entrain. Je glissai les pièces dans la poche de devant ; je m'apprêtais à remettre en place les papiers qui dépassaient, lorsque je remarquai le cliché. Pensant que c'était une photo d'André, je la sortis, curieuse. Mon cœur cessa de battre, l'espace d'un instant horrible.

Je connaissais ce cliché. On y voyait une femme en robe verte qui souriait à l'objectif. Cette femme, c'était moi.

Je fixai la photo quelques secondes, sans comprendre, puis les pensées se précipitèrent en cascade dans ma tête, et des centaines d'instantanés s'assemblèrent pour former un grand tout.

J'avais joint ce cliché à la lettre adressée à Robert Miller, et il se retrouvait dans le portefeuille d'André. André, qui m'avait éconduite dans le couloir des Éditions Opale. André, qui avait jeté la réponse de Robert Miller dans ma propre boîte aux lettres, parce que ce dernier avait perdu mon adresse, soi-disant. André, que je revoyais en train de rire et de plaisanter à La Coupole, et qui savait pertinemment que Robert Miller ne se montrerait jamais, André, qui ne m'avait pas touché un mot de la lecture – le seul moment où Miller était réellement à Paris – et qui s'était empressé de fuir la librairie, entraînant à sa suite un auteur visiblement déconcerté. André, qui s'était présenté au Temps des cerises avec un bouquet de roses, juste avant que l'agent de Miller n'annule notre rendez-vous.

L'agent de Miller ?! Ha !

Et la lettre de Robert Miller ? Comment l'auteur avait-il pu me répondre s'il n'avait jamais reçu mon courrier ?

Soudain, je me rappelai quelque chose. Quelque chose que j'avais remarqué après la lecture, sans pouvoir vraiment mettre le doigt sur ce qui me dérangeait.

Je laissai tomber la photo et me précipitai vers le chevet, où reposait *Le Sourire des femmes*. J'y avais glissé la lettre de Miller. Les mains tremblantes, j'en sortis les feuilles manuscrites.

« Très dévoué, votre Robert Miller ».

Je chuchotai ces mots de conclusion, avant d'ouvrir le livre précipitamment et de fixer la dédicace. « Pour Aurélie Bredin, bien amicalement, Robert Miller ». Robert Miller avait signé deux fois. Mais la signature de la dédicace n'avait rien en commun avec celle du courrier. Je retournai l'enveloppe, examinai le Post-it jaune qu'André Chabanais y avait collé, et laissai échapper un gémissement. C'était André qui avait écrit la lettre de Miller, et il m'avait menti depuis le début !

Je m'assis sur le lit, sonnée. Je repensai à la candeur apparente avec laquelle André m'avait regardée, hier soir au restaurant ; à la façon dont il avait dit : « Je suis désolé. *Terriblement* désolé, Aurélie. » Une colère froide monta en moi. Cet homme avait profité de ma crédulité, il avait éprouvé un malin plaisir à me mener par le bout du nez, il s'était joué de moi pour me mettre dans son lit, et j'étais tombée dans le panneau.

Je regardai par la fenêtre. Le soleil éclairait toujours la cour, mais la belle image d'un matin heureux venait de partir en fumée.

André Chabanais m'avait menti, tout comme Claude. Je ne permettrais plus qu'on me mente, plus jamais ! Je serrai les poings, la respiration courte.

— Voilà, mon petit cœur, la journée nous appartient.

André venait d'entrer dans la pièce, un grand drap de bain gris foncé enroulé autour de la taille. L'eau tombait goutte à goutte de ses cheveux sombres.

Je fixais le sol.

— Aurélie ? – Il s'approcha, se planta devant moi et posa ses mains sur mes épaules. – Mon Dieu, tu es toute pâle. Ça ne va pas ?

Je repoussai ses mains et me levai lentement.

— Non, confirmai-je d'une voix tremblante. Je ne vais pas bien. Pas bien du tout.

Il me regardait, déconcerté.

— Qu'est-ce que tu as ? Aurélie... Ma chérie... Je peux faire quelque chose pour toi ?

Il écarta une mèche de cheveux de mon visage et je m'éloignai.

— Oui, répondis-je, le ton menaçant. Ne me touche plus jamais, tu m'entends, plus *jamais* !

Il fit un pas en atrière, effrayé.

— Mais, Aurélie, qu'est-ce qui se passe ?

Je sentis une vague de colère me submerger.

— Qu'est-ce qui se passe ? Tu veux savoir ce qui se passe ?

J'allai ramasser la photo que j'avais laissée tomber et je la saisis d'un geste vif, avant de la lui tendre.

— *Voilà* ce qui se passe ! m'écriai-je, avant de me ruer sur le chevet. Ça, et ça !

Je m'emparai de la lettre et la jetai à ses pieds.

Son visage s'empourpra.

— Aurélie... s'il te plaît... Aurélie, bredouilla-t-il.

— Quoi ?! Tu veux *encore* me faire gober un de tes mensonges ? Tu ne crois pas que ça suffit ? – Je brandis le livre de Robert Miller et résistai à l'envie de le lui balancer à la figure. – La seule chose de vraie dans ce tissu de mensonges, c'est ce roman. Et toi, André, éditeur des Éditions Opale, tu es encore pire que Claude. Lui au moins, il avait une raison de me mentir, mais toi... toi... Tu t'es bien payé ma tête...

— Non, Aurélie, les choses ne sont pas ce qu'elles paraissent ! s'exclama-t-il, désespéré.

— C'est vrai. Tu as raison. Tu as ouvert mon courrier, au lieu de le faire suivre. Tu m'as fait parvenir une lettre trafiquée et tu as dû mourir de rire, à La Coupole, quand j'ai volontairement omis de t'en parler. Tu as tout combiné brillamment, mes compliments ! – Je fis un pas vers lui, le regard chargé de mépris. – De toute ma vie, je n'ai jamais rencontré personne qui se régale du malheur des autres avec autant d'hypocrisie. – Je le vis tressaillir. – Il te reste à m'expliquer *une* chose, parce que ça m'intéresse de savoir comment tu as manigancé tout ça. Qui a appelé hier soir au restaurant ? Qui ?

— C'était vraiment Adam Goldberg. C'est un ami, expliqua-t-il, l'air contrit.

— Un ami ? Fantastique ! Et tu en as combien encore, des amis dans le genre, hein ? Combien sont en train de rire de ma naïveté, de ma sottise, hein, tu veux bien me le dire ?

Ma rage atteignait des sommets.

André leva les mains en signe de dénégation, et les baissa aussitôt pour rattraper son drap de bain qui glissait.

— Personne ne se moque de toi, Aurélie. Ne pense pas du mal de moi, s'il te plaît... Oui, je sais, je t'ai menti, mais... je ne pouvais pas faire autrement, il *faut* que tu me croies ! Je... j'étais coincé. S'il te plaît ! Je peux tout t'expliquer...

Je lui coupai la parole :

— Tu sais quoi, André Chabanais ? Je renonce à écouter tes explications. Depuis le début, tu ne voulais pas que je rencontre Robert Miller, tu t'es toujours interposé, tu m'as toujours mis des bâtons dans les roues, mais après... après, tu as trouvé mieux, pas vrai ? – Je secouai la tête. – Comment peut-on être aussi perfide ?

— Aurélie, je suis tombé amoureux de toi, et ça, c'est la vérité.

— Non, répliquai-je. On ne traite pas comme ça une femme qu'on aime. – Je pris ses affaires sur la chaise et les lui jetai au visage. – Tiens ! Habille-toi et va-t'en !

Il les ramassa, l'air malheureux.

— S'il te plaît, donne-moi une chance, Aurélie. – Il fit un pas prudent dans ma direction et tenta de m'enlacer. Je me détournai et croisai les bras. – Hier... Je n'ai jamais... jamais vécu des moments aussi beaux... fit-il d'une voix enjôleuse.

Les larmes me montèrent aux yeux.

— C'est fini ! lançai-je avec colère. C'est fini avant que ça ait vraiment commencé. Et c'est bien comme ça. Je n'ai pas envie de vivre avec un menteur !

— Je n'ai pas vraiment menti, déclara-t-il alors.

— Comment peut-on ne pas mentir *vraiment* ? C'est ridicule ! rétorquai-je, furieuse.

Manifestement, André avait réfléchi à une nouvelle tactique. Il se posta devant moi.

— Je suis Robert Miller, affirma-t-il d'une voix désespérée.

J'éclatai d'un rire suraigu. Puis je le toisai de la tête aux pieds, avant de dire :

— Tu me prends pour une imbécile ? Tu es Robert Miller, *toi* ? J'en ai déjà entendu de belles, mais ce mensonge éhonté, c'est vraiment le comble. Ça devient de plus en plus absurde. – Je mis les poings sur les hanches. – Manque de pot, j'ai vu Robert Miller à la lecture, le *vrai* Robert Miller ! J'ai lu son interview dans *Le Figaro*. Mais *tu* es Robert Miller, bien sûr ! – Ma voix devint stridente. – Tu es juste *pitoyable*, André Chabanais ! Tu n'arrives pas à la cheville de Miller – voilà la vérité. Et maintenant, va-t'en ! Je ne veux plus t'entendre, tu ne fais qu'aggraver les choses !

— Mais, comprends-moi... Robert Miller n'est *pas* Robert Miller ! C'était... c'était... un dentiste !

Je me bouchai les oreilles, avant de crier :

— Dehors ! Disparais de ma vie, André Chabanais, je te déteste !

Après qu'André eut quitté mon appartement sans ajouter un mot, le visage écarlate, je m'effondrai sur mon lit et me mis à sangloter. Il y a une heure seulement, j'étais la femme la plus heureuse de Paris, il y a une heure seulement, je pensais me trouver au début d'une histoire merveilleuse – et voilà que tout avait pris une tournure catastrophique.

Je remarquai les deux tasses à café encore remplies, sur mon chevet, et j'éclatai à nouveau en sanglots. Était-ce mon destin d'être trompée ? Mon bonheur devait-il toujours se terminer dans le mensonge ?

Je fixais la cour. J'en avais soupé des hommes qui me mentaient. Je poussai un profond soupir. Une vie longue et barbante m'attendait. Si les choses continuaient à ce train-là, je finirais mes jours dans l'amertume, à errer dans les cimetières et à planter des fleurs au pied des tombes. Sauf que je ne m'amuserais pas autant que Mrs Dinsmore.

Brusquement, je nous revis à La Coupole, le jour de l'anniversaire de la vieille dame. Je l'entendais encore s'écrier joyeusement : « Mon petit, c'est le bon ! »

Je m'affalai dans les oreillers, la tête la première, et sanglotai de plus belle. Une pensée triste en entraînant une autre, je réalisai que ce serait bientôt Noël. Le Noël le plus déprimant de toute ma vie. L'index du réveil posé sur mon chevet avança d'un cran, et mon cœur se sentit très vieux, tout d'un coup.

Je finis par me lever pour rapporter les tasses dans la cuisine. Au passage, je frôlai le mur ; une pensée vola dans l'air et atterrit par terre.

« Le chagrin est un sol sur lequel il pleut et pleut encore, mais où rien ne pousse », voilà ce que j'avais écrit sur le bout de papier. C'était vrai, incontestablement. Toutes mes larmes ne me permettraient pas de revenir en arrière, d'effacer les choses. Je pris le Post-it et le recollai au mur avec précaution.

Ensuite, j'appelai Jacquie pour lui annoncer qu'on venait de commettre un attentat sur mon cœur et que je l'accompagnerais à la mer pour les vacances de Noël.

On frappa timidement à la porte. Lorsque Mlle Mirabeau entra, j'étais courbé sur mon bureau, mes mains soutenant ma tête lourde.

Mon départ peu glorieux de l'appartement d'Aurélie m'avait mis K.-O. debout. J'étais rentré à la maison en chancelant, je m'étais posté devant le miroir de la salle de bains, me traitant de plus grand idiot que la terre eût jamais porté, m'accusant d'avoir tout gâché. Le soir, je buvais beaucoup trop ; la nuit, je dormais à peine. J'avais tenté à plusieurs reprises d'appeler chez Aurélie, mais je tombais toujours sur le répondeur, et au restaurant, c'était toujours une autre femme qui décrochait, pour m'informer, avec des phrases toutes faites, que Mlle Bredin ne souhaitait pas me parler.

Une fois, un homme (je crois que c'était ce chef mal dégrossi) beugla dans le combiné que, si je n'arrêtais pas d'importuner Mlle Aurélie, il passerait à mon bureau et se ferait un plaisir de me casser la gueule personnellement.

J'avais envoyé trois mails à Aurélie, et reçu une réponse laconique m'indiquant que je pouvais m'épargner la peine de lui écrire, car elle supprimerait chacun de mes messages sans les lire.

En ces jours précédant Noël, j'étais aussi désespéré qu'un homme peut l'être. Manifestement, j'avais perdu Aurélie de façon irrémédiable, il ne me restait même pas sa photo, et le dernier regard qu'elle m'avait jeté était tellement chargé de mépris que j'en avais froid dans le dos, rien que d'y repenser.

— Monsieur Chabanais ?

Je levai péniblement la tête et regardai dans la direction de Mlle Mirabeau.

— Je vais aller me chercher un sandwich – je vous rapporte quelque chose ?

— Non, je n'ai pas faim.

Florence Mirabeau fit quelques pas prudents vers moi.

— Monsieur Chabanais ?

— Oui, qu'est-ce qu'il y a ?

Elle me fixait, le visage candide.

— Vous avez une mine affreuse, monsieur Chabanais, si je peux me permettre. Allez, mangez un sandwich... pour moi.

— Très bien, très bien, soupirai-je.

— Poulet, jambon ou thon ?

— Peu importe. Ce que vous voulez.

Une demi-heure plus tard, elle réapparaissait avec un sandwich au thon et un jus d'orange pressée, qu'elle posa sur mon bureau.

— Vous venez à la fête de Noël, ce soir ?

Nous étions vendredi, le réveillon aurait lieu mardi ; les Éditions Opale seraient fermées dès la semaine prochaine, jusqu'au nouvel an. Depuis quelque temps, le soir du dernier jour de travail, nous avions pris l'habitude d'aller dîner tous ensemble à la Brasserie Lipp, pour fêter dignement la fin de l'année. C'était, chaque fois, un moment très gai – un repas entrecoupé de rires et de discussions animées. Je ne me sentais pas capable d'affronter autant de bonne humeur.

— Je ne viens pas, je suis désolé.

— Oh... C'est à cause de votre mère ? Elle s'est cassé la jambe, c'est ça ?

— Non, non...

Pourquoi mentir ? Ces dernières semaines, j'avais tellement menti que l'envie m'était passée.

Maman était rentrée chez elle, à Neuilly, depuis cinq jours déjà. Elle allait et venait allègrement dans sa maison et préparait le réveillon.

— Elle s'en sort bien avec ses béquilles, assurai-je.

— Mais... qu'est-ce qui se passe, alors ? s'enquit Mlle Mirabeau.

— J'ai commis une erreur monumentale, expliquai-je en posant la main sur ma poitrine. Et maintenant... comment dire... Je crois que mon cœur est brisé.

— Oh, fit Mlle Mirabeau.

Sa compassion traversa la pièce en ondoyant comme une vague chaude. Puis elle ajouta quelque chose qui continua de me trotter encore dans la tête longtemps après qu'elle eut refermé doucement la porte derrière elle :

— Quand on se rend compte qu'on a commis une erreur, on devrait la corriger au plus vite.

Il était rare que le directeur éditorial pénètre dans le bureau d'un de ses employés, mais quand il le faisait, on pouvait être sûr que c'était important. Une heure après le départ de Florence Mirabeau, Jean-Paul Monsignac ouvrait ma porte d'un geste brusque et s'affalait sur une chaise.

Il me fixa d'un regard perçant, puis il déclara :

— Qu'est-ce que c'est que ça, André... Je viens d'entendre dire que vous ne viendrez pas à notre soirée de Noël ?

Je me mis à gigoter nerveusement dans mon fauteuil.

— Euh... non.

— Peut-on savoir pourquoi ?

La soirée de Noël chez Lipp était sacro-sainte pour Monsignac, et il escomptait y voit toutes ses brebis.

— Eh bien, je... je ne suis pas vraiment d'humeur, pour être honnête.

— Mon cher André, je ne suis pas stupide. Il suffit d'avoir des yeux pour comprendre que vous n'allez pas bien. Vous ne venez pas à la réunion du comité de lecture, vous annoncez votre absence à onze heures sans donner de raison, le lendemain, vous vous présentez ici avec une mine d'enterrement et c'est tout juste si vous sortez encore de votre tanière. Qu'est-ce qui se passe ? Je ne vous reconnais plus, conclut Monsignac en m'observant, songeur.

Je haussai simplement les épaules. Que dire ? Si je me montrais franc avec Monsignac, j'aurais d'autres problèmes.

— Vous pouvez parler de tout avec moi, André, j'espère que vous le savez.

J'eus un sourire crispé.

— C'est gentil, monsieur Monsignac, mais je crains de ne pas pouvoir parler de ça avec vous, justement.

Il s'adossa à sa chaise, étonné, et croisa les jambes.

— Voilà qui m'intrigue... Pourquoi ne pourriez-vous pas m'en toucher un mot ? Balivernes !

Je regardai par la fenêtre, d'où je pouvais voir la pointe du clocher de l'église Saint-Germain-des-Prés trouer le ciel rose.

— Si je le fais, je perdrai probablement mon boulot, déclarai-je d'un ton lugubre.

Monsignac éclata d'un rire sonore.

— Mais, mon cher André, qu'avez-vous donc fait de si terrible ? Vous avez piqué des cuillères en argent ? Passé la main sous la jupe d'une collègue ? Détourné des fonds ?

Repensant aux paroles de Mlle Mirabeau, je décidai de jouer cartes sur table.

— Il s'agit de Robert Miller. Je n'ai pas... Je n'ai pas été honnête avec vous, monsieur Monsignac.

Il se pencha en avant, attentif.

— Ah bon ? Il y a des problèmes avec l'Anglais ? Parlez !

Je déglutis avec difficulté. Pas évident de dire la vérité.

— C'était une lecture grandiose. Mon Dieu, j'ai ri aux larmes, reprit Monsignac. Qu'est-ce qui se passe avec ce type ? Il avait l'intention de nous livrer son deuxième roman rapidement, non ?

Je poussai un léger gémissement et cachai mon visage dans mes mains.

— Quoi ? demanda Monsignac, alarmé. André, ne devenez pas mélodramatique, dites-moi juste ce qu'il y a. Miller continue à écrire pour nous, n'est-ce pas ? À moins qu'il n'y ait eu des problèmes entre vous deux ? Vous vous êtes brouillés, peut-être ?

Je secouai la tête de manière imperceptible.

— Il a été débauché ?

J'inspirai profondément et plantai mon regard dans celui de Monsignac.

— Vous me promettez que vous n'allez pas sortir de vos gonds et crier ?

— Oui, oui... Vous allez *parler*, maintenant !

— Robert Miller n'écrira pas d'autre roman, expliquai-je, avant de marquer une courte pause. Pour la simple raison que Robert Miller n'existe pas, en réalité.

Monsignac me fixait sans comprendre.

— Vous divaguez, André. Vous avez de la fièvre ? Vous avez perdu la mémoire ? Robert Miller était à Paris, il a donné une lecture, vous ne vous en souvenez plus ?

— Précisément. Cet homme n'était pas Robert Miller, mais un dentiste qui s'est fait passer pour Miller pour nous rendre service.

— *Nous ?*

— Eh bien, Adam Goldberg et moi. Le dentiste, c'est son frère. Il s'appelle Sam Goldberg et il n'habite pas seul dans un cottage avec son petit chien, mais avec femme et enfants dans le Devon. Il s'y entend aussi peu en matière de livres que moi en matière d'inlays en or. Nous avons tout mis en scène, vous comprenez ? Pour ne pas être démasqués.

Monsignac clignait nerveusement des yeux.

— Mais... qui a écrit le livre, dans ce cas ?

— Moi.

Alors, Jean-Paul Monsignac se mit à crier, en dépit de sa promesse.

Ce qu'il y a de terrible avec M. Monsignac, c'est qu'il se transforme en véritable catastrophe naturelle quand il s'énerve.

— C'est monstrueux ! Vous m'avez trompé, André. Je vous ai fait confiance, je croyais en votre honnêteté, j'aurais mis ma main au feu pour vous. Vous m'avez dupé, vous allez en assumer les conséquences. Vous êtes viré ! s'écria-t-il en se levant d'un bond de sa chaise.

Ce qu'il y a d'agréable avec M. Monsignac, c'est qu'il se calme tout aussi vite qu'il s'est emporté, et qu'il possède un sens de l'humour extraordinaire.

— Incroyable, affirma-t-il au bout de dix minutes, alors que je me voyais déjà au chômage, montré du doigt par toute la profession. Incroyable, le coup que vous avez réussi, tous les deux. Vous avez mené toute la presse par le bout du nez. – Il secoua la tête et se mit brusquement à rire. – Pour parler franchement, j'avais été un peu étonné que Millet annonce que le héros de son prochain roman serait un *dentiste*. Pourquoi ne pas m'avoir dit dès le début que vous étiez derrière tout ça, André ? Mon Dieu, je ne savais pas que vous pouviez écrire aussi bien. Vous écrivez *vraiment* bien, répéta-t-il en passant la main dans ses cheveux grisonnants.

— C'est venu spontanément. Vous vouliez un Stephen Clarke, vous vous rappelez ? À l'époque, aucun Anglais n'écrivait de romans humoristiques sur Paris. Nous n'avions pas l'intention de vous arnaquer ou de porter préjudice à la maison d'édition. Vous savez bien que l'avance consentie pour ce titre était tout à fait modeste. Elle est amortie depuis longtemps. En plus, aucun d'entre nous ne pouvait se douter que le livre marcherait aussi bien, qu'on s'intéresserait autant à l'auteur.

— Bon, fit Monsignac, qui n'avait cessé d'aller et venir dans mon bureau. – Il se rassit. – Les choses sont éclaircies. Et maintenant, parlons d'homme à homme. – Il croisa les bras et me regarda, l'air sévère. – J'annule votre licenciement, André. En guise de punition, vous venez ce soir chez Lipp, compris ?!

Je hochai la tête, soulagé.

— À présent, j'aimerais que vous m'expliquiez le rapport entre ce complot et votre cœur brisé. Mlle Mirabeau se fait beaucoup de souci. De mon côté, j'ai l'impression que nous allons en venir au fin mot de l'histoire.

Il s'installa confortablement sur sa chaise, s'alluma un cigarillo et attendit.

Ce fut un long récit. Dehors, les premiers réverbères s'allumaient, lorsque j'en vins à la conclusion.

— Je ne sais plus quoi faire, monsieur Monsignac. J'ai enfin trouvé la femme que je cherchais depuis toujours, et maintenant, elle me *déteste* ! Même si je pouvais lui apporter la preuve qu'il n'existe vraiment aucun auteur du nom de Miller, je crois que ça ne servirait à rien. Elle est furieuse contre moi... blessée... Elle ne me le pardonnera pas... jamais...

— Taratata ! m'interrompit M. Monsignac. Qu'est-ce que vous me racontez, André ? À en croire la façon dont l'histoire s'est déroulée jusqu'à présent, rien n'est encore perdu. Croyez sur parole un homme qui a un peu plus d'expérience de la vie que vous. – Il fit tomber ses cendres et se mit à remuer le pied. – Vous savez, André, j'ai toujours traversé les difficultés avec succès grâce à trois phrases : « Je n'en vois pas la raison », « Je ne regrette rien » et « Je m'en fous ! » Mais, dans votre cas, je crains que Voltaire, Édith Piaf et Yves Montand ne soient d'aucune aide. Dans votre cas, mon cher ami, il faut vous raccrocher à une seule chose : la vérité. Toute la vérité. – Il se leva et s'approcha de mon bureau. – Suivez mon conseil et écrivez toute cette histoire telle qu'elle s'est déroulée – depuis l'instant où vous l'avez aperçue à travers la vitre de ce restaurant, jusqu'à notre discussion. Ensuite, faites parvenir le manuscrit à votre Aurélie en lui indiquant que son auteur préféré a écrit un nouveau roman et qu'il tient beaucoup à ce qu'elle soit la première à le lire.

Il me tapota l'épaule.

— C'est une histoire incroyable, André. Tout bonnement géniale ! Écrivez-la, commencez demain, ou plutôt, c'est mieux, cette nuit ! Écrivez comme si votre vie en dépendait. Parlez au cœur de cette femme que vous avez séduite avec votre premier roman.

Arrivé à la porte, il se retourna et me fit un clin d'œil.

— Et, quoi que ça donne... on va en faire un Robert Miller !

Il y a des écrivains qui passent des jours à se colleter avec la première phrase de leur roman. Si la première phrase est juste, tout ira de soi, disent-ils. Je crois qu'il existe même des études sur les débuts de romans, car la première phrase d'un livre s'apparente au premier regard entre deux personnes qui ne se connaissent pas encore.

En revanche, il y a des écrivains qui ne peuvent pas commencer un roman sans en connaître la dernière phrase. Ainsi, on dit de John Irving qu'il progresse en pensée depuis le dernier chapitre jusqu'au premier. Ensuite seulement, il se met à écrire.

À l'inverse, je couche ce récit sur le papier sans en connaître l'issue, sans pouvoir exercer une quelconque influence sur son dénouement.

La vérité, c'est que la fin de l'histoire n'existe pas encore.

C'est à une femme qu'il revient d'écrire la dernière phrase – une femme que j'aperçus un soir de printemps, il y a un an et demi environ, derrière la vitre d'un petit restaurant aux nappes à carreaux rouge et blanc situé rue Princesse, à Paris.

C'est la femme que j'aime.

Elle souriait, et son sourire me charma tant que je le volai. Je l'empruntai. Je l'emportai partout avec moi. J'ignore s'il est possible de tomber amoureux d'un sourire. Toujours est-il qu'il m'inspira une histoire – une histoire où tout était inventé, jusqu'à l'auteur.

Ensuite, il arriva quelque chose d'incroyable. Un an plus tard, un jour de novembre vraiment affreux, la femme au beau sourire se présenta à moi, comme tombée du ciel. Ce qu'il y avait de merveilleux et de tragique à la fois, dans cette rencontre, c'est qu'elle voulait de moi quelque chose que je ne pouvais lui donner. Elle n'avait qu'un souhait – un souhait qui l'obsédait, comme les princesses du conte, devant la porte interdite – et ce souhait ne pouvait être exaucé. À moins que si ?

Il s'est passé beaucoup de choses, depuis – de belles choses et des choses terribles, et je voudrais tout raconter. Toute la vérité après tous les mensonges.

Voici l'histoire telle qu'elle s'est réellement déroulée. Je l'écris comme un soldat qui doit partir au combat le lendemain, comme un malade qui ne sait pas s'il verra le soleil se lever au matin, comme un amant qui dépose son cœur dans les délicates mains d'une femme, avec l'espoir téméraire qu'elle l'entende.

Trois jours s'étaient écoulés depuis ma discussion avec Monsignac. Il m'avait fallu trois jours pour accoucher de ces quelques lignes, mais ensuite, tout s'accéléra.

Les semaines suivantes, j'écrivis comme poussé par une puissance supérieure, j'écrivis comme si ma vie en dépendait, pour reprendre l'expression si pertinente du directeur éditorial. J'évoquai le bar qui avait vu naître une idée brillante, une apparition dans le couloir d'une maison d'édition, une lettre adressée à un écrivain anglais qui avait atterri dans ma corbeille à courrier et que j'avais ouverte avec fébrilité – et de tout le reste, tout ce qui était arrivé au cours de ces semaines palpitantes.

Noël s'en vint et s'en alla. J'emportai mon ordinateur portable et mes notes chez maman, à Neuilly, où je passai les fêtes. Le soir du réveillon, alors que toute la famille, réunie autour de la grande table du salon, vantait les mérites du foie gras au confit d'oignon, maman déclara que j'avais maigri et que je ne mangeais pas assez. Pour la première fois, elle avait raison.

Je ne me souviens pas d'avoir avalé quoi que ce soit pendant ces semaines. Monsignac avait eu la bonté de me dégager de mes obligations jusqu'à la fin du mois de janvier – il avait expliqué aux autres que j'étais chargé d'une mission spéciale. Je me levais le matin, j'enfilais quelque chose et je m'installais à mon bureau avec une tasse de café et mes cigarettes.

Je ne répondais pas au téléphone, je n'ouvrais pas la porte quand on sonnait, je ne regardais pas la télévision, les journaux s'entassaient sur la table basse, près du canapé, sans que je les lise, et en fin d'après-midi, il m'arrivait de sortir dans le quartier pour respirer de l'air pur et acheter le strict nécessaire.

Je n'étais plus de ce monde ; s'il y eut des catastrophes naturelles durant cette période, je n'en sus rien. Je savais juste que je devais écrire.

Quand je me tenais devant le miroir de la salle de bains, je surprenais le reflet d'un homme blême aux cheveux en broussaille, des cernes sous les yeux.

Cela ne m'intéressait pas.

Parfois, j'allais et venais dans la pièce pour me dégourdir, et quand le flot des mots se tarissait, je lançais le CD *French Café*. Il débutait avec *Fibre de verre* et s'achevait avec *La Fée Clochette*. Durant toutes ces semaines, je n'écoutai que ce CD. Pourquoi celui-là ? Je n'aurais pas pu le dire.

Je le faisais tourner à l'infini, comme un autiste qui doit compter tout ce qui lui tombe sous la main. C'était devenu un rituel – quand les premières notes se faisaient entendre, je me sentais en sécurité, et au bout de la deuxième ou de la troisième chanson, j'étais à nouveau immergé dans l'histoire et la musique devenait un bruit de fond, un murmure qui faisait s'envoler mes pensées, telle une mouette blanche qui s'élève au-dessus de la vaste mer.

De temps en temps, elle frôlait l'eau en planant ; j'entendais *La Mer Opale* de Coralie Clément et je revoyais les yeux verts d'Aurélie. Brigitte Bardot chantait *Un jour comme un autre*, et je ne pouvais m'empêcher de penser à la façon dont Claude avait quitté Aurélie.

Chaque fois que *La Fée Clochette* résonnait, je savais qu'une heure de plus était passée, et mon cœur s'emplissait d'une tendre pesanteur au souvenir de cette soirée enchantée au Temps des cerises.

Le soir, je finissais par éteindre la lampe de mon bureau et me mettre au lit – souvent, je me relevais parce que j'avais eu une idée, une idée qui ne me paraissait plus aussi brillante, le lendemain matin.

Les heures devenaient des jours, des jours qui se confondirent et s'apparentèrent bientôt à une traversée transatlantique sur un océan d'un bleu profond, où une vague ressemble à la suivante, où le voyageur fixe la ligne de l'horizon et croit distinguer le continent.

Je pense qu'aucun livre ne fut écrit aussi vite. J'étais motivé par le désir de reconquérir Aurélie, et j'aspirais à voir se lever le jour où je déposerais mon manuscrit à ses pieds.

J'y apportai la dernière touche à la fin du mois de janvier.

Il se mit à neiger le jour où je laissai le manuscrit devant la porte de l'appartement d'Aurélie. La neige est si rare à Paris que la plupart des gens s'en réjouissent.

J'errai dans les rues comme un prisonnier en liberté conditionnelle, j'admirai les vitrines vivement éclairées, je respirai le parfum alléchant des crêpes préparées au petit stand, derrière l'église Saint-Germain-des-Prés. Finalement, je me décidai pour une gaufre tartinée d'une épaisse couche de crème de marrons.

Les flocons tombaient doucement, petits points blancs dans l'obscurité, et je pensais au manuscrit enveloppé de papier kraft qu'Aurélie trouverait ce soir devant sa porte.

Il y avait deux cent quatre-vingts pages, au total. J'avais longuement réfléchi au titre à donner à cette histoire, ce roman avec lequel je voulais, pour toujours, regagner le cœur de la jeune femme aux yeux verts.

J'avais envisagé des titres pleins de sensibilité, très romantiques, presque kitsch même, mais je les avais tous rayés de ma liste. Pour finir, j'avais donné au livre un titre sobre et émouvant : *La Fin de l'histoire*.

Quelle que soit la façon dont une histoire débute, quels que soient les tours et détours qu'elle emprunte, seule compte la fin.

Mon métier implique la lecture de quantité de livres et de manuscrits, et j'avoue que ce sont les romans offrant une conclusion ouverte, voire tragique, qui me fascinent le plus, depuis toujours. On y pense encore longtemps après les avoir finis, tandis qu'on oublie rapidement ceux qui présentent une issue heureuse.

Mais il doit bien exister une différence entre la littérature et la réalité. Ainsi, en abandonnant le petit paquet brun sur le sol dallé, devant la porte d'Aurélie, je renonçai à toute exigence intellectuelle.

J'adressai une prière fervente au ciel et réclamai une fin *heureuse*.

J'avais joint une lettre au manuscrit :

Chère Aurélie,

Je sais que tu m'as banni de ta vie et que tu ne veux plus aucun contact avec moi. Je respecte ton souhait.

Aujourd'hui, je dépose devant ta porte le nouveau livre de ton auteur préféré.

C'est un manuscrit non corrigé, de toute première main. Il n'a pas encore de fin à proprement parler, mais je sais qu'il t'intéressera, parce qu'il renferme les réponses à toutes tes questions relatives au premier roman de Robert Miller.

Ce faisant, j'espère réparer un peu le mal que j'ai causé.

Tu me manques,
André

Cette nuit-là, je dormis à poings fermés, pour la première fois depuis longtemps. Je me réveillai avec le sentiment d'avoir fait tout ce qui était en mon pouvoir. Il ne me restait plus qu'à attendre.

Je rangeai dans ma serviette une copie du roman pour M. Monsignac, puis je pris le chemin des Éditions Opale, après plus de cinq semaines d'absence. Il neigeait toujours, un manteau blanc recouvrait les toits des immeubles et les bruits de la ville étaient étouffés. Sur les boulevards, les autos ne roulaient pas aussi vite que d'habitude, et même les piétons ralentissaient le pas. Il me semblait que le monde retenait son souffle. Pour ma part, étrangement, je me sentais empli d'une grande sérénité. Mon cœur était d'une blancheur immaculée, comme au premier jour.

Au bureau, on me reçut avec effusion. En plus des piles de courriers, Mme Petit m'apporta le café ; Mlle Mirabeau passa la tête dans l'embrasure, les joues rougies, et me souhaita une bonne année (je vis une bague briller à sa main) ; Michelle Auteuil me salua avec majesté en me croisant dans le couloir, et se fendit même d'un « Ça va, André ? » ; Gabrielle Mercier accueillit mon retour avec un soupir soulagé, avant de m'avouer que le directeur éditorial la rendait folle ; quant à Jean-Paul Monsignac, il tira la porte de mon bureau derrière lui et affirma que j'avais l'air d'un auteur qui venait d'achever son livre.

— Et... de quoi a-t-il l'air ?

— Fourbu, mais avec cet éclat particulier dans les yeux, m'expliqua Monsignac, qui me scrutait. Alors ?

Je lui tendis la copie du manuscrit.

— J'ignore si c'est bon. Mais je l'ai écrit avec tout mon cœur.

— C'est toujours bien d'y mettre tout son cœur, sourit Monsignac. Je croise les doigts, mon ami.

— Eh bien... Je ne l'ai apporté qu'hier soir, il ne se passera rien dans l'immédiat... s'il se passe quelque chose.

—Pourvu que vous vous trompiez, André! Quoi qu'il en soit, je suis impatient de commencer ma lecture.

L'après-midi s'écoula, poussif. Je parcourus mon courrier, je répondis à mes mails, je regardai par la fenêtre, où d'épais flocons continuaient à tomber. Puis je fermai les yeux et je pensai à Aurélie, en espérant que mes pensées atteignent leur but.

Il était seize heures trente et le ciel s'assombrissait déjà, lorsque le téléphone sonna. Jean-Paul Monsignac me demandait de le rejoindre.

Quand j'entrai, il se tenait à la fenêtre et fixait la rue en contrebas. Mon manuscrit reposait sur son bureau.

Monsignac se retourna.

—Ah, André, entrez, entrez! fit-il en se balançant d'avant en arrière sur ses pieds, comme à son habitude. Ce que vous avez écrit là... – Il me fixa, l'air sévère, et je serrai nerveusement les lèvres. –... est très bon, malheureusement. Votre agent n'a pas intérêt à contacter d'autres éditeurs pour faire monter les enchères, sinon vous êtes viré, compris?!

—Compris, lui assurai-je en souriant. Ça me fait très plaisir, monsieur Monsignac.

Il se tourna de nouveau vers la fenêtre et me fit signe d'approcher.

—Je parie que ce que je vois là-bas va vous faire encore plus plaisir, déclara-t-il en indiquant la rue.

L'espace d'une seconde, je crus qu'il parlait des flocons de neige qui tourbillonnaient toujours, puis mon cœur se mit à battre plus vite, et je résistai à l'envie d'étreindre ce bon vieux Monsignac.

Dehors, de l'autre côté de la rue, une femme faisait les cent pas en face du bâtiment abritant les Éditions Opale. Elle portait un manteau rouge et ne cessait de regarder en direction de l'entrée, comme si elle attendait quelqu'un.

Je ne pris pas le temps d'enfiler quelque chose. Je dévalai l'escalier, tirai la lourde porte cochère et traversai la rue en courant.

Je me retrouvai devant elle, haletant.

— Tu es venue ! murmurai-je, la voix rauque. Aurélie...

Les flocons tombaient sur elle et s'emprisonnaient dans ses longs cheveux comme de petites fleurs d'amandier.

Elle sourit et je pris sa main gantée de laine colorée, le cœur léger.

— Tu sais quoi ? Le second livre de Robert Miller me plaît encore plus que le premier, confia-t-elle, le regard brillant.

Je ris doucement et la pris dans mes bras, avant de demander :

— C'est la dernière phrase ?

Aurélie secoua lentement la tête.

— Non, je ne crois pas.

Elle me fixa un moment avec tant de sérieux que je cherchai une réponse dans ses yeux verts, troublé.

— Je t'aime, imbécile, reprit-elle.

Puis elle m'enlaça et tout s'évanouit, tout disparut sous un manteau de laine rouge carmin et un baiser qui n'en finissait pas.

Évidemment, dans un roman, j'aurais trouvé cette phrase quelque peu convenue. Mais dans la vraie vie, dans cette petite rue enneigée d'une grande ville, la ville des amoureux, elle faisait de moi l'homme le plus heureux de Paris.

LE MOT DE LA FIN

Quand on achève un roman, on se sent très soulagé d'en être venu à bout. (Merci de m'avoir écouté,
Jean !) Très triste, aussi. Car rédiger les dernières
lignes d'un livre signifie toujours prendre congé des
héros qui vous ont longtemps accompagné. Et même
s'ils sont (plus ou moins) imaginaires, l'auteur les
porte dans son cœur.

Je suis donc du regard Aurélie et André, qui se
sont enfin trouvés, après bien des errements. Je
pousse un soupir de soulagement et je deviens un
peu sentimental en leur souhaitant beaucoup de
bonheur à tous les deux.

Quantité de choses sont inventées, certaines sont
vraies. Tous les cafés, les bars, les restaurants et les
magasins existent réellement, le Menu d'amour
vaut la peine d'être tenté, j'ai donc joint les recettes,
tout comme celle du curry d'agneau à l'indienne de

La Coupole (la version originale, avec la touche personnelle d'Aurélie Bredin).

En revanche, le lecteur cherchera en vain Le Temps des cerises, rue Princesse.

Même si, en écrivant, j'avais en tête – je l'avoue – un restaurant bien précis aux nappes à carreaux rouge et blanc, cet établissement doit rester un lieu où l'imagination est reine, un lieu où les souhaits deviennent réalité, où tout est possible.

Le sourire des femmes est un cadeau du ciel, à l'origine de toute histoire d'amour. Si je devais avoir un souhait, ce serait que ma chère U. puisse encore porter son nouveau manteau d'hiver de nombreuses années, et que ce roman se termine, pour les lectrices et les lecteurs, comme il a commencé – dans un sourire.

Le Menu d'amour d'Aurélie
(pour deux personnes)

Salade de mâche et avocat,
champignons et noix de macadamia,
assaisonnée d'une vinaigrette aux agrumes

100 grammes de mâche
1 avocat
100 grammes de petits champignons
1 oignon rouge
10 noix de macadamia
60 grammes de lard maigre coupé en dés
2 à 3 cuillères à soupe de vinaigre de cidre
1 verre de jus d'orange et de citron
3 cuillères à café d'huile de pépins de raisin
1 noix de beurre
Sel
Poivre

Nettoyer la mâche, la laver et l'égoutter. Éplucher les champignons et les émincer. Peler l'avocat et le détailler en dés.

Faire dorer les noix de macadamia dans une poêle, avec le beurre. Couper l'oignon en deux et l'émincer finement. Faire rissoler les dés de lard maigre dans une poêle pour qu'ils soient bien croustillants.

Dans un bol, verser le vinaigre de cidre, l'huile de pépins de raisin et le verre de jus d'orange et de citron. Saler et poivrer.

Dresser sur deux assiettes la mâche, les champignons, les dés d'avocat, l'oignon et les noix. Parsemer le tout de lard et arroser de vinaigrette aux agrumes. Servir aussitôt.

*

Canette aux pépins de grenade,
accompagnée de pommes de terre gratinées

Une canette (1 kilo environ) coupée en morceaux
2 carottes
1 oignon rouge
200 grammes de tomates
2 grenades
2 gousses d'ail
3 cuillères à soupe de beurre
1 bouquet de thym frais
1 cuillère à soupe de farine
1/4 de litre de vin blanc sec

400 grammes de petites pommes de terre (*tenant à la cuisson*)
2 œufs
1/4 de litre de crème
Huile d'olive
Sel
Poivre

Faire chauffer l'huile et le beurre dans une cocotte et mettre les morceaux de canette à dorer. Veiller à ne pas trop cuire. Réserver les morceaux de canette et jeter la graisse rendue. Ensuite éplucher les carottes et les détailler en rondelles. Éplucher également l'ail et l'oignon, et les hacher finement. Couper les grenades en deux, ôter les pépins et les réserver.

Plonger brièvement les tomates dans de l'eau bouillante, les passer sous l'eau froide et les peler. Épépiner la pulpe et la détailler en dés.

Remettre la cocotte sur le feu avec un fond de gras resté. Y faire revenir l'ail, l'oignon, le thym et les carottes. Quand le tout est bien doré, y rajouter les morceaux de canette. Saupoudrer de farine, mélanger le tout et arroser avec le vin blanc. Ajouter les tomates, couvrir et laisser mijoter à feu doux une grosse heure, à faible température (150 degrés). Au besoin, reverser du vin. N'incorporer les pépins de grenade qu'à la fin.

Pendant que la canette mijote, laver les pommes de terre, les éplucher et les détailler en rondelles très fines (utiliser éventuellement une mandoline).

Beurrer un moule à gratin et y disposer en cercle les rondelles de pommes de terre, saler et poivrer. Ensuite, battre au fouet la crème et les œufs. Assaisonner ce mélange, le verser sur les pommes de terre et garnir le tout de noisettes de beurre. Faire cuire 40 minutes environ à 180 degrés.

*

Moelleux au chocolat

*100 grammes de chocolat noir de dégustation
(70 % de cacao au moins)
2 œufs
35 grammes de beurre salé
35 grammes de sucre brun
25 grammes de farine
1 sachet de sucre vanillé
4 carrés de chocolat extra
Sucre en poudre*

Faire fondre le chocolat et le beurre au bain-marie. Monter les blancs d'œuf en neige et ajouter le sucre brun, puis le sucre vanillé. Incorporer délicatement la farine et le chocolat fondu.

Beurrer deux petits moules et les saupoudrer de farine. Ensuite, remplir les moules de pâte à hauteur d'un tiers, disposer deux carrés de chocolat sur le dessus de chaque préparation et compléter avec le reste de pâte.

Faire cuire 8 à 10 minutes dans le four préchauffé à 220 degrés. Les moelleux au chocolat doivent être cuits à l'extérieur et coulants à l'intérieur. Les saupoudrer de sucre en poudre et servir tiède avec le...

*

Parfait à l'orange sanguine

3 oranges sanguines
2 jaunes d'œuf
100 grammes de sucre en poudre
1 pincée de sel
2 sachets de sucre vanillé
1/4 de litre de crème fraîche liquide
Cannelle

Battre au mixeur les jaunes d'œuf avec le sucre en poudre, le sel et trois cuillères à soupe d'eau chaude, jusqu'à ce que la masse épaississe. Ajouter le jus de deux oranges et la cannelle.

Fouetter la crème fraîche avec le sucre vanillé et l'incorporer délicatement au mélange sucre/œufs/oranges.

Verser dans un moule à cake et laisser prendre au congélateur toute la nuit. Décorer avec les rondelles d'une orange et servir avec les moelleux au chocolat.

Bon appétit !

LE CURRY D'AGNEAU À L'INDIENNE DE LA COUPOLE
Recette de 1927

Pour 6 personnes

3,5 kilos de gigot ou d'épaule d'agneau
10 cl d'huile de tournesol
3 goldens *(Aurélie prend 5 pommes)*
1 banane *(Aurélie prend 4 bananes)*
3 cuillères à café de poudre de curry
    *(Aurélie recommande la poudre de curry indien
    et conseille de goûter si 3 cuillères à café suffisent)*
1 cuillère à café de poudre de paprika doux
30 grammes de noix de coco râpée *(plus une cou-
    pelle qu'on servira à table)*
3 gousses d'ail hâchées
250 grammes d'oignons détaillés en dés
    *(Aurélie recommande de ne pas hésiter à en prévoir
    le double, pour rendre l'ensemble plus fondant)*

1/2 cuillère à soupe de gros sel marin
20 grammes de farine
50 cl de fond d'agneau
200 grammes de tomates
50 grammes de persil plat (de préférence un
    bouquet)
500 grammes de riz basmati
50 grammes de beurre
1 bouquet garni
Chutney de mangue, piment, achards de fruits et
    de légumes

Couper l'agneau en morceaux. Saisir légèrement la viande dans une cocotte pendant 5 minutes environ, ajouter une pomme émincée et une banane coupée en rondelles, puis les oignons et l'ail hachés.

Laisser cuire 5 minutes supplémentaires avant de joindre au mélange la poudre de curry, la poudre de paprika et la noix de coco râpée.

Bien remuer et saupoudrer de farine. Mouiller à hauteur avec le fond d'agneau ou de l'eau.

Ajouter le bouquet garni et le sel, laisser mijoter à feu doux une heure à une heure et demie environ, le temps que la viande soit presque cuite à point. (On peut aussi la mettre dans un faitout et la braiser deux à trois heures au four, à basse température [180 degrés], ce qui rend l'agneau très tendre et évite de mixer la sauce.)

Séparer la viande du liquide et mixer la sauce (à moins que vous n'aimiez qu'il reste des petits morceaux). Ensuite, replacer l'agneau dans son récipient et laisser mijoter 30 minutes supplémentaires.

Faire cuire le riz. Pendant ce temps, faire suer dans du beurre les deux pommes restantes détaillées en lamelles et les tomates concassées. Servir avec le riz parsemé de persil. Présenter la noix de coco râpée, le chutney de mangue, le piment et les achards dans des coupelles.

Le Livre de Poche s'engage pour
l'environnement en réduisant
l'empreinte carbone de ses livres.
Celle de cet exemplaire est de :
350 g éq. CO$_2$
Rendez-vous sur
www.livredepoche-durable.fr

PAPIER À BASE DE
FIBRES CERTIFIÉES

Composition réalisée par INOVCOM

Achevé d'imprimer en février 2015 en France par
CPI BRODARD ET TAUPIN
La Flèche (Sarthe)
N° d'impression : 3009920
Dépôt légal 1re publication : février 2015
Édition 05 – février 2015
LIBRAIRIE GÉNÉRALE FRANÇAISE
31, rue de Fleurus – 75278 Paris Cedex 06